ROMEO A JULIET
BID WRTH EICH BODD

ROMEO A JULIET BID WRTH EICH BODD

J.T. JONES

Argraffiad cyntaf — 1983

ISBN 0 86074 238 5

Adargraffiad ffacsimili o'r gwreiddiol,
a argraffwyd yn 1983.

RHAGAIR

Cyn ei farw yn Nhachwedd 1975, yr oedd fy mrawd, J.T., wedi cwblhau cyfieithiad o *Romeo a Juliet* (Shakespeare), ac yn wir wedi darparu copi ohono oedd i bob pwrpas yn barod i fynd i'r wasg.

Rai blynyddoedd yn gynharach yr oedd hefyd wedi cyfieithu *As You Like It*, dan y teitl *Bid Wrth Eich Bodd.* Un copi teipysgrif sydd ar gael o'r cyfieithiad hwnnw, ac nid ymddengys ei fod wedi ei baratoi'n benodol ar gyfer ei argraffu. Dichon, pe cawsai fyw, y buasai'r cyfieithydd wedi diwygio rhywfaint yma ac acw ar y gwaith. Sut bynnag yr oedd yn gyflawn fel yr oedd ac fe'i printir yma heb ddim cyfnewidiad, oddieithr cywiro mân wallau amlwg yn y copi.

Ar anogaeth a chyda chymorth parod Mr Dafydd Ff. Jones, Wrecsam, a Miss Eirian Jones, Harlech (mab a merch J.T.), paratoais y ddau gyfieithiad i'w cyhoeddi fel hyn yn un gyfrol. Dyma honno bellach allan o'r wasg.

Diolchaf i berchnogion Gwasg Gwynedd am eu parodrwydd i ymgymryd â'r cyhoeddi, am eu hir-amynedd â golygydd ymarhous ac am eu gofal diball gyda'r gwaith.

Mr Trefor Williams, Pentrefelin, hen gyfaill a chymwynaswr mynych i'm brawd, oedd wedi darparu'r copi teip o *Romeo a Juliet* a hyfrydwch yw diolch iddo yntau am ei gymwynas fawr.

Bellach mae holl gyfieithiadau J.T.J. o waith Shakespeare wedi eu cyhoeddi. Ymddangosodd y rhai canlynol o'r blaen.

1960 Hamlet
1970 Nos Ystwyll *(Twelfth Night)*
(Cyhoeddwyd y ddwy uchod gan Gymdeithas Lyfrau Ceredigion)
1969 Marsiandwr Fenis
(Cyhoeddwyr: Gwasg Tŷ ar y Graig)

R.E. Jones

ROMEO A JULIET

Y CYMERIADAU

Escalws, Tywysog Verona
Mercŵtio, perthynas i'r Tywysog a chyfaill Romeo
Paris, uchelwr ieuanc, perthynas i'r Tywysog a Mercŵtio
Macwy, i'r Cownt Paris
Móntagiw, pennaeth teulu yn Verona, gelyniaethus i'r Capwletiaid
Yr Arglwyddes Móntagiw
Romeo, mab Móntagiw
Benvolio, nai Móntagiw, a chyfaill Romeo a Mercŵtio
Abram, un o weision Móntagiw
Balthasar, un arall o weision Móntagiw, yn gweini ar Romeo
Cápwlet, pennaeth teulu yn Verona, gelyniaethus i'r Montagiwiaid
Yr Arglwyddes Cápwlet
Juliet, merch Cápwlet
Tubolt, nai yr Arglwyddes Cápwlet
Henwr, yn perthyn i deulu Cápwlet
Nyrs, sef Nyrs i Juliet a'i mam-faeth gynt
Pitar, un o weision Cápwlet, yn gweini ar y Nyrs
Sampson, **Grigor**, **Antoni**, **Potpan**, **Clown**, **Gweithwyr** — gwas'naethwyr yn nhŷ Cápwlet
Y Brawd Lorens, **Y Brawd Siôn** — o urdd San Ffransis
Apothecari, ym Mántiwâ
Tri Cherddor (Seimon Catrin, Huw Rebeca, Siôn Seinbost)
Gwylwyr
Dineswyr yn Verona, masgwyr, tors-gludwyr, ac eraill
Corws

Y PROLOG

Enter CORWS

Corws

Yn nhre' Verona gynt, lle dodwn ni
'R olygfa hon, fe dry'r genfigen faith
Cyd-rhwng dau dylwyth o gyfartal bri
Yn gweryl gwaedlyd am y ganfed waith.

Allan o lwynau'r ddwyblaid hyn i'r byd
Dau gariad ddaeth; ac O, bu drist eu ffawd;
Ond trwy ofidiau'r rhai'n a'u diwedd drud
Daw'r hen anghydfod blin i ben ei rawd.

Stori'r garwriaeth brudd, a hynt y ffrae
(Y ffrae na thyciai dim trwy'r byd yn grwn
Ond angau'r plant i'w diffodd) dyna'r gwae
Sy'n draffig dwyawr ar ein llwyfan hwn.

Pob diffyg yma* – a chwithau'n cydymddwyn, –
Gwnawn ymdrech deg i'w drwsio – er eich mwyn.

* 'yma': h.y., yn y copi o'r ddrama sydd yn llaw y Corws.

ACT I

GOLYGFA I

Enter SAMPSON a GRIGOR, o'r tylwyth Cápwlet, pob un a'i gleddyf a'i astalch.

Sampson Myn f'enaid, Grigor, 'd awn-ni ddim dan draed.

Grigor Wel, na; nid dau bryf genwair monom.

Sampson Ac eto, fe ymladdwn os bydd rhaid.

Grigor Ond peidio â tharo heb eisiau, wrth gwrs.

Sampson Pw, os daw rhywbeth i'm cyffroi, 'rydw i-n siŵr o daro.

Grigor Wel, 'tydi-hi ddim yn **hawdd** dy gyffroi **di**. 'Rwyt ti'n rhy **ddi**-daro.

Sampson Bydd **un** cipolwg ar gnaf o lwyth Móntagiw yn ddigon i'm cyffroi.

Grigor H'm! Mae cyffro'n symud, a dewrder yn sefyll. Pan gei **di** dy gyffroi, 'rwyt ti'n rhedeg i ffwrdd!

Sampson B'asai cnaf o'r llwyth hwnnw yn gwneud imi sefyll. Os daw un o'r llwyth heibio, boed fab, boed ferch, cei weld mai fi fydd y nesaf i'r wál.

Grigor Dyna ddangos mai llibyn egwan wyt-ti. Y gwanna' sy'n mynd i'r wál bob tro.

Sampson Wel, merched ydi'r llestri gwanna'; a nhw sy'n cael eu gwasgu i'r wál. Mi fydda' inna', felly, yn gyrru **dynion** Móntagiw **oddi wrth** y wál, ac yn gwthio'i **lancesi**-fo **at** y wál.

Grigor Ond cofia hyn, rhwng **meistri**'r ddau dŷ a rhwng **dynion** y ddau dŷ y mae'r cweryl.

Sampson Dim ots, dim ots. 'Rydw **i** am actio'r teirant. Wedi ymladd â'r **dynion** mi 'sbeiliaf y **llancesi,** –

Grigor **'Sbeilio'r** llancesi? O'u mireinder, mae'n debyg?

Sampson Nac-e, o'u morwyndod, os felly 'bydda-i'n teimlo.

Grigor Mae ganddyn 'nhwtha deimlad, cofia.

Sampson Oes, oes, ac fe gânt fy nheimlo tra bydda-i'n abal i sefyll, ac fe ŵyr pawb 'mod-i'n siampal o ddyn.

Grigor Mae'n dda nad wyt **ti** ddim yn ddynes, neu – mi fasa'n bur fain ar y dynion. Ond estyn dy bastwn, – dyma ddau o lwyth Móntagiw'n dŵad.

(Enter ABRAM a gwas arall)

Sampson Mae 'nghledda' noeth allan yn barod. Cychwyn di gweryl, – byddaf inna' wrth dy gefn.

Grigor Felly'n wir, mynd i'r cefn, a ffoi?

Sampson Pw, – paid â phryderu.

Grigor H'm! Paid ti â rhoi **achos** pryderu.

Sampson Gad i ni barchu'r gyfraith beth bynnag, a gadael iddyn' **nhw** ddechra'.

Grigor Mi guchiaf arnyn-nhw wrth basio; cânt hwytha' wneud fel y mynnont.

Sampson Yn hytrach, fel y meiddiont. 'Rydw-i am frathu fy mawd arnyn-nhw, ac os na wylltia'-nhw, wel rhag i c'wilydd-nhw!

Abram Wyt-ti'n brathu dy fawd arnom **ni**, syr?

Sampson *(O'r neilltu, wrth GRIGOR)* 'Fydd y gyfraith o'n plaid os deuda-i 'mod-i?

Grigor *(O'r neilltu, wrth SAMPSON)* Na fydd.

Sampson Na, 'tydw-i ddim yn brathu fy mawd arnoch **chi**, syr; ond, yr ydw-i'n brathu fy mawd.

Grigor Oes arnoch-chi flys cweryla?

Abram Cweryla, syr? Nac oes.

Sampson Ond os oes, 'rydw-i'n barod amdanoch. 'Rydw-i'n gwas'naethu cystal dyn â chitha'.

Abram Cystal, – nid gwell.

Sampson Purion, syr.

(Enter BENVOLIO)

Grigor *(O'r neilltu, wrth SAMPSON)* Mentra ddeud 'Gwell', – mae un o geraint ein meistr yn dod.

Sampson Un **gwell**, syr.

Abram Celwydd.

Sampson Wel, os dynion ydach-chi, dad-weiniwch! Grigor, cofia-di roi trawiad ysgubol mewn pryd!

(Maent yn ymladd)

Benvolio Hai, ffyliaid!
Peidiwch i gyd, rhag cychwyn helynt ffol.

(Enter TUBOLT)

Tubolt Beth? 'Sgytian cledd ymhlith gwehilion gwael!
Wyneba **fi**, Benvolio, a gwêl dy dranc!

Benvolio Ceisiaf greu heddwch. Gostwng dithau'r cledd,
Neu, rho dy gymorth i wahanu'r rhain.

Tubolt Dadweinio'r cledd a sôn am **heddwch**? Pw!
Casâf y gair: casâf lwyth Móntagiw,
A thithau, gachgi!

(Ymladdant. Enter amryw o'r ddau dylwyth. Yna enter tri neu bedwar dinesydd gyda phastynau trymion)

Swyddog Â ffon neu bastwn curwch hwynt i lawr, –
Y Montagiwiaid oll, a'r Capwletiaid!

(Enter yr henwr CÁPWLET yn ei ŵn — a'i wraig gydag-ef)

Cápwlet Beth ydi'r stŵr? Ho, moeswch hirgledd im!

'R Arglwyddes C. Tydi a'th gleddyf? Baglan bren i ti!

Cápwlet P'le **mae** fy nghleddyf? Ai'r hen Fóntagiw
Sy'n chwifio'i gledd a chwerthin am fy mhen?

(Enter yr henwr MÓNTAGIW a'i wraig)

Móntagiw Y bilain Cápwlet! *(wrth ei wraig)* Gollyngwch-fi!

'R Arglwyddes M Dim lol! Dim lol! 'Chei di ddim herio neb!

(Enter y TYWYSOG ESCALWS a'i ddilynwyr)

Y Tywysog Y deiliaid gwrthryfelgar, treiswyr hedd,
Sy'n staenio'r cleddyf â chymdogol waed, –
Oni wrandawant? Chwi fwystfilod ffôl,
Sy'n ceisio diffodd tân digofaint mall
Trwy dywallt gwaed eich gwythi'n borffor li, –
Os am osgoi arteithiol gosb, gwrandewch!
Tafled pob un ei gleddyf hurt i lawr
Cyn clywed sentens eich Tywysog dig.
Tair sgarmes drefol, ffrwyth ymadrodd llac
O'r eiddo Cápwlet neu Fóntagiw,
Dair gwaith fu'n torri ar hedd ein strydoedd hyn
Nes bod henuriaid doeth y dref dan raid
I ddiosg arwydd-nodau glân eu swydd

Ac ymarfogi â chleddyfau hen –
Pob glaif â rhwd tangnefedd ar ei lafn –
I herio rhwd eich maith gasineb chwi!
Os meiddiwch eto darfu ar hedd y stryd,
Cewch dalu'r gost â'ch einioes yn ddi-oed;
Ewch ymaith, bawb. Ond Cápwlet, tyrd ti
Ataf ar unwaith; tithau, Móntagiw,
Tyrd y prynhawn, i'r Henllys Fawr fan draw,
Llys barn y ddinas, i gael trafod hyn,
A gwybod fy mwriadau. Pawb, yn awr,
Dan berygl tranc, ewch ymaith yn ddi-oed.

(Exeunt bawb ond MÓNTAGIW, YR ARGLWYDDES MÓNTAGIW, a BENVOLIO)

Móntagiw Pwy roes ail-gychwyn i'r hen gweryl hwn?
'Sgwn-i, fy nai, – a oeddit ti gerllaw?

Benvolio 'Roedd gweision Cápwlet a'ch gweision chwithau
Wrthi'n ymryson pan gyrhaeddais i.
Tynnais fy nghledd i'w rhwystro, ond yn y fan
Daeth Tubolt wyllt, a'i gleddyf yn ei law,
Gan weiddi sialens goeglyd yn fy nghlyw
A chwifio'i gleddyf i drywanu'r gwynt,
A'r gwynt, mewn gwawd, fel pe bai'n hysio'n ôl.
Tra'r oeddym ninnau'n ffeirio ergydion chwyrn,
Daeth mwy a mwy o'n deutu i frwydro'n hy,
Nes i'r Tywysog ddod. A dyna'r cwbwl.

'R Arglwyddes M Ond beth am Romeo? 'Sgwn-i p'le mae o?
'Rwy'n falch nad oedd fy machgen yn y ffrae.

Benvolio Beth amser, Madam, cyn i deyrn y dydd
Agoryd ffenestr aur y dwyrain draw,
'Roedd anniddigrwydd wedi 'ngyrru ar daith
Heibio i'r sycamorwydd hynny a dyf
Tua gorllewin pella'r ddinas hon;
Ac yno, yn sydyn iawn, canfûm eich mab.
Cychwynnais tuag ato, ond gwelodd fi
A llithrodd yn y fan i mewn i'r llwyn.
Minnau yn awr, gan fesur ei deimladau
Wrth naws yr eiddof, (canys heddwch llwyr
Yn unig a ddymunwn ar y pryd)
Fodlonais yn ddibetrus i'w osgoi,
A gadael llonydd iddo; ac adre â mi.

Móntagiw Fe'i gwelwyd yno lawer gwaith o'r blaen, –
Ei ddagrau'n lluosogi gwlith y wawr
A'i ocheneidiau'n chwyddo'r cymyl fry,
Ond cyn bo hir, a'r siriol-hyfryd haul
Yn eithaf pella'r Dwyrain yn partoi
I dynnu cysgod-lenni gwely'r Wawr,
Llithrai fy mab di-hedd yn ôl cyn dydd
I'w stafell, gartref, tynnu'r llenni 'nghau,
A llechu'n fud mewn annaturiol nos.
Mae stad ei feddwl yn frawychus braidd.
I wella'r drwg rhaid delio'n ddoeth â'i wraidd.

Benvolio Ond f'ewythr annwyl, beth **yw** gwraidd y drwg?

Móntagiw Wel, 'dwn-i ddim, ac ni chaf wybod ganddo.

Benvolio A wnaethoch gais o gwbl i'w holi'n daer?

Móntagiw Do, a chyfeillion eraill yr un modd;
Ond parthed ei deimladau'i hun, ysywaeth,
Mae'r llanc mor gyfrinachol ac mor fud,
Ie, ac mor amhosibl treiddio i'w gôl
Ag yw blaguryn tyner a ddifethwyd
Gan bryf gwenwynig cyn ymagor dim,
A chyn cysegru i'r haul ei dlysni glân.
Pe gallem dreiddio at wraidd ei gur, fel tae,
Aem ati o ddifrif wedyn i'w iachau.

(Enter ROMEO)

Benvolio Mae'n dod! Mae'n dod! Ewch chwi o'r neilltu'n awr.
'Rwyf am ei holi ynghylch ei dristwch mawr.

Móntagiw Hei lwc y llwyddi i gael y ffeithiau'n llawn
Trwy gyffes deg, Benvolio. Madam, awn.

(Exeunt MÓNTAGIW a'i wraig)

Benvolio Ha, 'nghefnder, bore da!

Romeo Beth? Ydi-hi'n dal
Yn fore byth?

Benvolio Mae newydd daro naw.

Romeo Och fi! Mae oriau trist yn oriau maith.
Pwy welais-i'n diflannu? Ai fy nhad?

Benvolio Ie. Ond 'sgwn-i pa ryw brofiad trist
A bair fod oriau Romeo'n oriau maith?

Romeo 'Rwyf heb yr unig fodd i'w gwneud yn fyr.

Benvolio Heb hun?

Romeo Yn hytrach –

Benvolio Heb fun?

Romeo Heb wenau'r fun a garaf: dyna'r drwg.

Benvolio Mae serch, ysywaeth, er mor fwyn ei wedd,
Yn gallu bod yn greulon fel y bedd.

Romeo Gresyn fod serch, er gwaetha'i fwgwd tynn,
Mor siŵr o ffeindio'r ffordd i gael a fynn.
P'le'r awn-ni am ginio? Oho, pa ffrae fu yma?
Ond paid ag ateb: daeth y stori i'm clyw.
Os pair casineb ofid, pair serch fwy.
Felly , O! greulon serch, O! dirion gas,
Ac O! bob peth a grëwyd gynt o ddim:
O! drwm ysgafnder; O! ddifrifwch gwag,
Tryblith di-lun o ffurfiau rhithiol cain, –
Plu plwm, tân oer, mwg disglair, iechyd afiach,
Byth-effro gwsg nad ydyw mo'r hyn yw.
Serch felly a deimlaf, er na theimlaf chwaith
Ddim serch yn hyn. A pham na chwerddi di?

Benvolio Yn hytrach, gefnder annwyl, wylo'r wyf.

Romeo Ond, galon fwyn, paham? Eglura i mi.

Benvolio Oherwydd tristwch dy fwyn galon **di.**

Romeo Wel, dyna enghraifft glir o gamwedd serch:
Mae dwys ofidiau o'r eiddof fi fy hun
Yn orthrwm dan fy mron: 'rwyt tithau'n awr
Yn ychwanegu at eu swm a'u rhif
Trwy gydymdeimlo. Mae'r tynerwch hwn
Yn chwyddo cur oedd eisoes yn rhy fawr.
Cans beth yw serch ond ocheneidiol fwg?
O'i buro, gloywder trem cariadon hapus;
O'i ddigio, môr o'u dagrau chwerwon yw.

Beth arall ydyw? Wel, gwallgofrwydd call,
Neu enllyn melys iach sy'n wenwyn mall?
Gefnder, ffar-wel.

Benvolio Aros, dof gyda thi!
Byddai fy ngado fel'na yn gam â mi.

Romeo Twt, 'rwyf ar goll: nid dyma Romeo.
Rhaid mynd i rywle arall i'w gael **o.**

Benvolio O ddifri yn awr, dwed wrthyf pwy a geri.

Romeo A griddfan er mwyn d'ateb?

Benvolio Griddfan? na!
Ond dwêd o ddifri, pwy?

Romeo Arch i ddyn claf o ddifri wneud ei 'wyllys!
Hen gyngor gwael i'r afiach sydd mor glwyfus!
Gefnder, – o ddifri'n awr, – 'rwy'n caru merch.

Benvolio Anelais yn bur dda wrth sôn am serch.

Romeo Anelu teg. Mae hithau'n eneth deg.

Benvolio Os teg y nod, mae'n hawdd ei daro'n deg.

Romeo Na, 'rwyt ti'n methu'n deg. Ni thraidd yr un
O saethau Ciwpid ati. Dyma fun
Cyn ddoethed â Diana. A dyma ferch
All herio'n ddiwair holl ergydion serch.
Ni all ddi-oddef taer gariadus iaith,
Na goddef rhythu powld y llygaid chwaith,
Heb sôn am ildio i lwgr-hudoliaeth aur.
O, mae'n gyfoethog o brydferthwch claer;
Ond eto i gyd, nid yw ond tlawd a ffol
Os treing heb ado etifedd ar ei hôl!

Benvolio Ei nod yw para'n ddiwair tra fo byw?

Romeo Ie, dyna'r nod, a beth ond gwastraff yw?
Mae tlysni sy'n gweithredu'n groes i'r graen
Yn rhwystro tlysni rhag goroesi 'mlaen.
Rhy gain, rhy goeth, rhy swynol ddoeth yw hi
Os dring i'r Nef ar draul f'anobaith i.

Mae wedi ymwadu â serch: 'rwyf innau'n fyw
I ddweud am fywyd mai marwolaeth yw!

Benvolio Rhof gyngor it -- anghofia'i chofio hi.

Romeo Anghofio'i chofio? Dangos imi sut!

Benvolio Trwy ganiatáu i'th lygaid sylwi'n graff
Ar ferched prydferth eraill.

Romeo Dyna'r ffordd
I gofio'i thegwch fwy-fwy! Mae'n ddi-ail!
Pan welom eneth dlos yn gwisgo masc
Neu fwgwd, du ei liw, mae hwnnw'n siŵr
O alw'i thlysni cudd yn fyw i'n cof.
Nid yw y sawl a gollo'i olwg drud
Byth yn anghofio'r tlysni a welodd gynt:
Minnau, bob tro y gwelaf eneth dlos,
Ni allaf lai na chofio'n union syth
Am ferch arbennig sydd yn dlysach fyth.
Ffar-wel! Ni fedri 'nysgu sut i anghofio!

Benvolio Wel, 'rwy'n bwriadu dal ymlaen – nes llwyddo!

(Exeunt)

GOLYGFA II

Enter CÁPWLET, Y COWNT PARIS, *a'r* CLOWN, *ei was*

Cápwlet
Mae Móntagiw fel finnau o dan raid
I fyw mewn hedd; ac nid yw parchu'r llw
Yn anodd iawn i rai mor hen â ni.

Paris
'Rydych, mae'n wir, mewn oedran teg eich dau,
A gresyn eich bod wedi ymgecru cŷd;
Ond weithion, syr, beth ddwedwch am fy nghais?

Cápwlet
Dim ond ail-ddweud a dd'wedais-i o'r blaen.
Erys fy merch yn ddieithr braidd i'r byd,
Cans nid yw eto'n bedair blwydd ar ddeg.
Rhown eto haf neu ddau hirfelyn iddi
Cyn tybio'i bod yn aeddfed i briodi.

Paris
Mae rhai sy'n iau na hi yn famau llon.

Cápwlet
Gwir, ond rhy fuan y difethwyd **rhai.**
Daearwyd fy ngobeithion oll ond hi:
Mae'n rhiain gobaith fy holl ddaear i.
Ond cais y ffordd i'w chalon, Paris fwyn;
Cans er mor llwyr y cyd-weslediad mau,
Nid digon mono. O fewn ei dewis hi
Y trig f'ewyllys a'm cydsyniad i.
Heno, 'rwy'n cynnal gŵyl yn ôl hen arfer
Ac wedi gwadd i'r ddawns westeion lawer
O'r math a garaf, tithau gyda hwy:
Tyred, a gwna fy nifer eto'n fwy.
Cans heno'r hwyr bydd llawer seren dlos
Ar lawr fy nhŷ yn llathru gwedd y nos.
Cei dithau deimlo heno, o dan fy nho,
Y wefr a deimla llanciau nwyfus, dro,
Pan fo mis Ebrill yn ei wyrdd a'i wyn
Yn gwasgu ar sodlau'r Gaeaf. Pleser llwyr,
Ymhlith benywaidd flagur heno'r hwyr
A brofi di. Tyr'd, clyw, a gwêl bob peth:
Cais hoffi'r fun deilyngaf yn ddi-feth;
Cei weld fy merch ymhlith y dyrfa gain,
A mesur ei theilyngdod wrth y rhain.
Tyr'd, awn ynghyd.
(Wrth was gerllaw) Hai, syre, dos ar d'union
Trwy dre' Verona, a dwêd wrth ein cyfeillion –

(Dyma nhw'r enwau) – fod y plas yn awr
Yn disgwyl wrthynt oll, a'r croeso'n fawr.

(Exeunt CÁPWLET a PARIS)

Gwas Ia, dyma nhw'r enwau! Mi glywais ddweud mai dyletswydd crydd yw glynu wrth ei lathen, teiliwr wrth ei lest, – a'r artist wrth ei bwyntil, y pysgotwr wrth ei rwydau; ond rhaid i **mi** geisio dod o hyd i'r bobol sydd â'u henwau fan yma, a finna' druan yn methu â darllen 'sgrifen y sawl a'u 'sgrifennodd. Rhaid holi'r dysgedigion. A dyma nhw, ar y gair!

(Enter BENVOLIO a ROMEO)

Benvolio Pw! gall un tân ddi-leu tân arall, cofia.
Gall un poen ladd poen arall, oni all?
Os gwnei dro hurt, gall troi yn ôl dy wella,
Iacheir un gofid gwyllt pan ddarffo'r llall:
Pan ddelo i'th drem afiechyd newydd, dro –
Gyrr hwnnw'r clefyd cynta'n llwyr ar ffo!

Romeo At glwy o'r fath, dail tafol ydi'r eli.

Benvolio Yr eli at beth?

Romeo At grimog tost, siŵr iawn.

Benvolio Ond, Romeo, 'wyt ti'n wallgo?

Romeo Gwallgo? Na!
Ond caethach na gwallgofddyn ydwyf fi.
Fe'm cedwir, heb fy mwyd, mewn cyfyng gell;
Fe'm chwipir, fe'm dirdynnir ac – Dydd da, frawd.

Gwas I chitha' syr. 'Fedrwch chi ddarllen, syr?

Romeo Medraf yn wir, – darllen fy ffortiwn fy hun yn nrych fy ngofid.

Gwas 'Rydach-chi wedi dysgu hwnnw ar dafod leferydd, mae'n siŵr. Ond rŵan, 'fedrwch-chi ddarllen unrhyw beth a roir o'ch blaen?

Romeo Medraf, **os** deallaf y llythrennau a'r iaith.

Gwas Dyna siarad onest. Da bo-chi.

Romeo Aros, frawd. 'Rwy'n **medru** darllen.

(Mae'n darllen y papur)

"Signor Martino a'i wraig a'i ferched. Y Cownt Anselmo a'i chwiorydd glandeg. Yr Arglwyddes, gweddw Vitrwfio. Signor Placentio a'i nithoedd hawddgar. Mercŵtio a'i frawd Valentein. F 'ewythr Cápwlet, ei wraig a'i ferched. Fy nith gain, Rosalin, a Livia. Signor Valentio a'i gefnder Tubolt, Lucio a'r nwyfus Helena."

Cyn'lleidfa wych. I b'le maent i ddod?

Gwas Acw, – i swper.

Romeo I b'le?

Gwas I'n tŷ ni.

Romeo Tŷ pwy?

Gwas Tŷ fy meistr.

Romeo Yn wir, mi ddylswn fod wedi gofyn 'Tŷ pwy'? ers meityn.

Gwas Mi gewch wybod rŵan heb ofyn. Fy meistr ydi'r gŵr mawr cyfoethog Cápwlet, ac felly, os nad ydach-chi'n perthyn i dylwyth Móntagiw, dowch chitha' draw i gael llymaid neu ddau. Da bo-chi.

(Exit GWAS)

Benvolio I'r ŵyl hynafol hon, – gwledd Cápwlet, –
Daw Rosalin deg, a geri di mor fawr,
A holl rianedd cain Verona. Wel;
Dos dithau yno, ac â di-ragfarn drem
Cymhara'i gwedd ag eiddo rhai o'r lleill
'Ddangosaf it, a byddi'n sicir mwy
Mai brân yw d'alarch yn eu hymyl hwy!

Romeo Pan wyro addoliad triw fy llygaid syn
At dwyll fel yna, boed fy nagrau'n dân:
I losgi'r hereticiaid ffiaidd hyn.
Pa ddagrau 'fedrai byth eu golchi'n lân?
Ei harddach hi? Ni chanfu'r haul ei hun,
Ers dechrau'i yrfa faith, neb ail i'r fun.

Benvolio Pw, 'doedd-na byth 'run ferch ond hi ger bron.
Un darlun mewn dau lygad: neb ond hon!
Ond pe cyd-bwysit wrthrych hoff dy serch
Yn yr un glorian, gydag arall ferch

Y caf ei dangos iti'n harddu'r wledd,
Mi wn y gwelit p'un yw'r deca'i gwedd.

Romeo

Af yno, nid ar bwys d'addewid ddim,
Ond i fwynhau'r ysblander hysbys im.

(Exeunt)

GOLYGFA III

Enter yr ARGLWYDDES CÁPWLET a'r NYRS

'R Arglwyddes C Wel, Nyrs, p'le mae fy merch? Galw hi yma.

Nyrs Myn fy morwyndod deuddeg oed ers talm,
'Rwyf **wedi** gweiddi; Tyr'd, f 'aderyn tlws!
'Does bosib'? – P'le mae'r hogen? Juliet!

(Enter JULIET)

Juliet Beth sydd, a phwy sy'n galw?

Nyrs Eich mam.

Juliet Wel, madam, beth a fynnwch? Dyma fi.

'R Arglwyddes C Dyma sydd gennyf – Nyrs, am dipyn bach,
Rhaid inni sgwrsio'n breifat. Nac e, tyrd yn ôl.
'Rwy'n cofio, mae a wnelo'r pwnc â thi.
Mae Juliet, – onid yw? – mewn oedran pert–

Nyrs Diawcs-i, mi fedraf ddeud ei hoed i'r awr.

'R Arglwyddes C Mae'n bedwar ar ddeg, –

Nyrs O na; mi ddaliaf ichi bedwar dant ar ddeg, – ond diawcs, 'does **gen**-i ond pedwar! Tydi-hi ddim eto'n bedwar ar ddeg. Faint sy tan Ddygwyl Awst?

'R Arglwyddes C O, mae pythefnos dda.

Nyrs Wel, da neu beidio, pan ddaw noson Dygwyl Awst, mi fydd-hi'n bedwar ar ddeg. 'Roedd hi a'n Siwsan ni 'run oed: (Nawdd Duw i bob gwir Gristion). Wel, mae Siwsan yn y Nefoedd; 'roedd-hi'n llawer rhy dda i mi. Ond hyn ydi'r pwynt – Noswyl Awst bydd eich merch yn bedwar ar ddeg: bydd, ar fy ngwir. Diawcs-i, 'rwy'n cofio'n iawn. Mae un flynedd ar ddeg ers adeg y Ddaeargryn, a dyna'r dydd – anghofia'i byth mono – y cafodd hon ei diddyfnu. 'Rwy'n cofio'n dda 'mod-i wedi rhoi wermod ar fy mron y diwrnod hwnnw, ac yn eistedd yn yr haul wrth wál y c'lomendy. 'Roeddech **chi** a'm harglwydd ym Mant'wa ar y pryd. Diawcs-i, mae gen-i eitha 'mennydd. Ond wrth gwrs, fel deudes-i, 'roedd blas wermod ar y ddiden, a choeliech-chi byth mor biwus oedd y beth bach! Mi ddigiodd yn bwt. Dyna'r c'lomendy'n ysgwyd. 'Roedd-hi'n bryd imi hel fy nhraed! Ac mae un mlynedd ar ddeg er hynny. 'Roedd hitha'n medru sefyll ar 'i thraed, – wel, deud y gwir yn medru hercian-rhedeg i bob man; achos, dim ond y diwrnod cynt, 'roedd-hi wedi cael codwm a brifo'i hael, a dyma fy ngŵr, fel miri-man – coffa da amdano – yn mynd ati a'i chodi. "Wfft i ti," ebra fo, "yn syrthio mlaen ar dy wyneb fel hyn! Syrthio'n ôl y byddi-di, yntê Juli bach, pan ddoi-di i ddallt petha'n well". A choeliwch fi neu beidio, dyna'r beth bach yn dechra peidio â chrïo, ac yn ateb "Ia!" O, fel mae dywediada' digri'n dod yn ôl inni! Yn wir, anghofia-i mo'r hwyl hwnnw pe cawn fyw am fil o flynyddoedd. "Yn'te, Juli?" ebra fo. A'r beth bach yn stopio crïo, ac yn ateb mor ddiniwad, "Ia!"

'R Arglwyddes C Dyna hen ddigon, Nyrs. Taw, os gweli'n dda.

Nyrs Purion, madam, ond fedra-i lai na chwerthin wrth feddwl amdani'n stopio crio felly, ac yn deud "Ia!" Ond cofiwch-chi, 'roedd-na chŵydd gymin â 'lwlen ar ei hael. Hen godwm cas, ac 'roedd-hi'n beichio crio. "Wel," medda' ngŵr, "syrthio ar dy wyneb? Ond syrthio'n ôl rhyw ddiwrnod, yn'tê Juliet?" Hitha'n stopio ac yn ateb, "Ia!".

Juliet Atolwg, Nyrs, stopiwch chitha' rŵan.

Nyrs Purion, 'rwy'n tewi. Gras Duw o'th blaid. Ti oedd y baban dela 'nyrsiais-i 'rioed; ac O, mi garwn i gael byw i'th weld yn briod.

'R Arglwyddes C Priodol iawn, – cans dyna'r union bwnc
Sydd ar fy meddwl. Juliet, fel merch i mi,
Beth yw eich teimlad parthed ymbriodi?

Juliet Anrhydedd yw na ddaeth im rhan erioed
Freuddwydio amdani.

Nyrs Anrhydedd! Oni bai mai fi yw d'unig nyrs, mi faswn yn taeru dy fod wedi llyncu doethineb wrth sugno'r ddiden.

'R Arglwyddes C Ond, Juliet, ar hyn o bryd
Meddyliwch am briodi. Gwn am rai,
Iengach na chwi, rhianedd mawr eu parch
Sy'n famau yn Verona. 'Roeddwn i
Yn fam i chwi, os cofiaf, pan 'run oed
Ag 'rydych chwithau'n awr. Ond dyma'r pwynt:
Mae'r Cownti Paris am eich priodi chwi.

Nyrs Dyn iawn, f 'arglwyddes bach; wel, mae-o'n ddyn sy'n bictiwr ac yn batrwm i'r holl fyd.

'R Arglwyddes C Ni fedd Verona harddach blodyn haf.

Nyrs A blodyn ydi-o hefyd, blodyn iawn.

'R Arglwyddes C Dowch, moeswch farn. 'Fedrwch chi hoffi'r Cownt?
Cewch gyfle i'w weld-o heno yng nghwrs yr ŵyl.
Darllenwch gyfrol deg ei wyneb pryd,
I weld y swynion a 'sgrifennwyd oll
Gan law prydferthwch. Mynnwch weld yr hedd
A dardd o'r cymesuredd yn ei wedd.
Bydd holl rinweddau cudd y gyfrol hon
Yn ddarllenadwy yn ei lygaid llon;
Ac i berffeithio'r llyfr cariadus, cymen, –
Y gyfrol ddi-glawr yma, – nid oes angen
Dim ond cyfrwymiad. Nef pysgodyn iach
Yw teimlo dŵr o'i gylch. A mantais fawr
I du-fewn teg gael tu-faes teg yn glawr.
Mae cyfrol yn fwy hardd i lu o lygaid
Tra gwerchyd bwcwl aur y cynnwys euraid.
'R un modd, o'i gymryd ef, caech chwithau, fun,
Eich siâr o'i werth, heb fod ddim **llai** eich hun.

Nyrs Llai? 'Choelia-i fawr! **Mwy**, wrth ymhél â dyn!

'R Arglwyddes C 'Fedrwch-chi, 'fynnwch-chi, hoffi'r Paris hwn?

Juliet Af ati i geisio hoffi, os tycia gweld;
Ond ni bydd dart yn gwibio o'm llygad i
Heb darddu'n gyntaf o'ch cydsyniad chwi.

(Enter GWAS)

Gwas Madam, mae'r gwesteion wedi dŵad, ac mae'r bwyd ar y byrddau. Mae-nhw'n gweiddi amdanoch-chi, yn holi yngylch f 'arglwyddes ifanc, ac yn melltithio'r Nyrs yn y pantri. Mae popeth yn draed moch! Rhaid i minna' frysio'n ôl i weini. 'Wnewch-chi ddŵad heb ymdroi?

'Rarglwyddes C Gwnawn. *(Exit GWAS)*
Juliet, mae'r Cownt yn d'aros di.

Nyrs *(wrth JULIET)* Dos; trefna am ddyddiau braf a nosau ffri!

(Exeunt)

GOLYGFA *IV*

Enter ROMEO, MERCŴTIO, BENVOLIO, *amryw eraill yn gwisgo mwgydau, a thors-gludwyr.*

Romeo
Wel, 'n awr, ai anfon esgus ymlaen llaw,
Ai myned yno heb ymddiheuro a wnawn?

Benvolio
Na, 'does dim galw am ddefodaeth mwy:
Dim angen Ciwpid fel rhyw fwgan brain
I ddychryn merched hefo'i fwgwd gwlân
A'i fwa lliwgar, bregus, Tartar ddull,
Na phrolog i'w frygowthan gyda help
Y prompter, chwaith, er mwyn cael mynd i mewn!
Caent hwy ein barnu fel y mynnont, syr,
Fe ddawnsiwn ninnau ddawns, a ffwrdd â ni!

Romeo
'Rwyf fi am gario ffagl. Dim dawnsio i mi,
Mae'n iawn i ddyn di-galon gludo golau!

Mercŵtio
Twt, Romeo, **rhaid** it ddawnsio, debyg iawn.

Romeo
Na raid, Mae gennych chwi esgidiau dawnsio,
A gwadnau sionc. Plwm ydyw f'enaid i.
Di-symud wyf: fe'm clymwyd wrth y llawr.

Mercŵtio
Os carwr ydwyt, cais adenydd Ciwpid
I hedeg fry uwchlaw cyffredin rawd.

Romeo
Fe'm clwyfwyd yn rhy greulon gan ei saeth
I fedru hedfan â'i adenydd plu;
Ac ofer sôn am hofran uwchben gwae!
Dan bwysau llethol cariad, suddo 'rwyf.

Mercŵtio
Wedyn, drwy suddo ynddo, byddi'n faich ar serch;
A beichio peth mor dyner, gorthrwm yw.

Romeo
Serch yn beth tyner? Na, peth pigog iawn,
Fel llwyn drain duon ydyw. Ac mae'n wyllt.

Mercŵtio
Wel, os yw'n wyllt, bydd dithau'n wyllt yn ôl, –
Pigiad am bigiad, – ac fe ildia'n syth.
Ho, rhoddwch fwgwd dros fy wyneb-i:
Masc i orchuddio masc! Dim ots gen' **i**
Pa lygad rhwth fo'n gweld fy niffyg siâp!
Tyrd, fwgwd aeldrwm, swilia di'n fy lle.

Benvolio Dowch, curwch y drws, ac wedi mynd i mewn,
Ymrodded pawb i ddawnsio nerth ei draed!

Romeo Ond tors i mi! Caed gwadnau gwamal, gwyllt
Ogleisio'r llawr di-deimlad, ond mae sŵn
Rhyw hen ddihareb yn fy nghlustiau i: –
"Rhaid dal y gannwyll os am weld y chwarae"!
A doed yr hwyl i ben pan ar ei orau.

Mercŵtio Twt, pan ddaw'r hwyl i ben fe'th lusgwn di
Allan o'r siglen yr wyt ynddi'n awr
Bron at dy glustiau, hen gors leidiog serch.
Ond dowch, rhag difa gola' dydd; hei ho!

Romeo Nid **dydd** yw'n awr!

Mercŵtio Wel na, ond wrth din-droi
Yr ydym oll yn wastio'r ffaglau hyn
Fel lampau ganol dydd. A derbyn ditha'
Y rheswm a fwriedid gennym.

Romeo Wel,
Bwriedir da wrth fynd i'r dawnsio hwn;
Ond croes i reswm yw.

Mercŵtio Pam, 'sgwn-i; pam?

Romeo Breuddwydiais freuddwyd neithiwr.

Mercŵtio Minnau 'r un modd!

Romeo Wel, dywed beth oedd pwynt y breuddwyd tau.

Mercŵtio Fod ambell freuddwyd effro'n freuddwyd gau.

Romeo Ond mae breuddwydion trymgwsg weithiau'n wir.

Mercŵtio Oho, bu Modryb Mali gyda thi, –
Brenhines bert y Tylwyth Teg, a'u bydwraig.
Pan fo'r frenhines fach ar daith nid yw
Ddim gronyn mwy na'r maen mererid drud
Ar fys blaen Aldramon. Fe'i llusgir-hi
Yn oriau'r nos, gan wedd o atomau bach,
Dros drwynau dynion a fo'n cysgu'n drwm.
Beth yw ei cherbyd hi? Wel, cneuen wag,

O drwsiad gwiwer neu gynrhonyn hen,
Prif 'seiri coed' y Tylwyth ers cyn co';
A pharthed edyn yr olwynion, wel –
Esgeiriau pryfed cannwyll ydyn nhw;
A'r to, dwy adain ceiliog rhedyn gwyrdd.
Coleri wrth gwrs o belydr llaith y lloer;
Chwip wawn, a'i choes o asgwrn cricsyn cry',
A thresi o we'r pry copyn lleia'n bod.
  Ond pwy, mewn lifrai lwyd, sy'n gyrru'r goets?
Gwybedyn, llai na'r un pry' bach a wesgir
Allan o swigen diogi ar flaen bys merch!
Ac felly, ar garlam wych bob nos, y gyrr
Drwy fennydd carwyr, gan eu moedro â serch;
Dros lin gŵr llys, i'w droi'n gwrteisi taer;
Dros fys cyfreithiwr, ac yntau'n ffroeni ffi;
A thros fin merch, mae hitha'n awchu am gusan!
  Ond weithiau, pan fo modryb mewn hwyl ddrwg,
Mae'n plannu crach ar fin y ferch, yn gosb
Am ado i betha' melys sbwylio'i gwynt.
Dro arall, hefo cynffon mochyn degwm,
Mae'n cosi trwyn y ficer pan fo 'nghwsg, –
Yntau'n breuddwydio am ficeriaeth well.
  Mae'n dreifio, ambell dro, dros wddw sowldiwr,
A hwnnw'n cael ei hun mewn estron wlad
Yn torri gyddfau tramor, wrth ei fodd,
Neu'n magu breuddwyd braf am fynd i'r gad
Gan ddrachtio cwrw, ac yna, clywed sŵn
Tabyrddau'n galw; yntau'n deffro'n sydyn,
Ac yn ei fraw yn udo gweddi daer,
Cyn syrthio 'nghwsg drachefn. Hon, wrth gwrs,
Sy'n plethu mwng ceffylau ganol nos,
Neu blethu gwalltiau blêr yn dresi tyn –
Rhag i ddim anlwc darddu o'r blerwch blin.
Try weithiau'n wrach, yr hon, pan fo gwyryfon
Yn gorwedd ar eu cefnau, sy'n ymroi
I'w gwasgu i lawr a'u dysgu sut i ýmddwyn,
A bod yn wragedd a fo'n gwybod oll
Sut i ym-ddwyn. A Modryb Mal, wrth gwrs –

Romeo Digon, Mercŵtio! Geiriau gwag i gyd.

Mercŵtio Gwag? Debyg iawn. Breuddwydion oedd y pwnc, –
A beth ŷnt hwy ond epil 'mennydd gwag,
Wedi'u cenhedlu gan ffôl ffantasi?
Mae hwnnw mor ddi-sylwedd ag yw'r gwynt,

A mwy anwadal; canys, am ryw hyd
Mae'r gwynt yn llochi mynwes oer y Gogledd, –
Yna, mewn tymer ddig, mae'n pwffian draw
I daer anwesu gwlithog fochau'r De!

Benvolio Wel, nid yw'r gwynt yn awr yn chwythu o'n plaid!
Mae'r swper drosodd bron, a ninnau'n hwyr.

Romeo Rhy gynnar, dyna 'nheimlad **i.** 'Rwy'n ofni
Fod rhyw ganlyniad, sydd hyd yma 'nghlwm
Wrth fympwy'r sêr, i gychwyn ar ei rawd
Chwerw-ddychrynllyd heno, yn ystod hwyl
A miri'r ddawns, ac i roi terfyn toc
Ar ddirmygedig einioes dan fy mron
Trwy fforffed ffiaidd rhyw anhymig dranc.
Ond caffed Ef, sy'n llywio mordaith f'oes,
Gyfeirio'r cwch . . . Hogiau, ymlaen â ni!

Benvolio Ie, trewch y drwm! *(Ymdeithiant i mewn i'r tŷ)*

GOLYGFA V

Y neuadd yn nhŷ Cápwlet. Mae'r cerddorion i mewn eisoes. Enter y mascwyr; ymdeithiant o amgylch y llwyfan cyn sefyll o'r neilltu. Daw gweision i mewn hefo napcynnau.

Gwas I Ydi Potpan yn rhoi help i glirio? H'm! 'Fo yn symud trensiar! 'Fo'n crafu trensiar!

Gwas II Os ydi moesau da'n dibynnu ar ddwylo dim ond un neu ddau, a'r rheiny'n ddwylo budur, mae'n gebyst o beth!

Gwas I Ffwrdd â'r meincia' tridarn a'r cwpwrdd dysgla'; a gofal hefo'r llestri piwtar. Titha' rŵan cofia fod yn glên. Cadw damaid o farsi-pan i mi. Ac ar bob cyfri', gyfaill gad i'r porthor ollwng Siwsan Sosi a Nel i mewn.

(Exit GWAS II)

Antoni a Potpan!

(Enter dau was arall)

Gwas III Ia, fachgen, dyma ni.

Gwas I Mae 'na weiddi a chwilio a holi a stilio amdanoch-chi yn y 'stafell fawr.

Gwas IV 'Fedrwn-ni ddim bod fan honno a'r fan yma 'r un pryd. Hei ati, hogia'; gwnewch y gora' o'r cyfle, ac wedyn, pa ots?

(Exeunt GWAS III a GWAS IV. Enter CÁPWLET a'i wraig, a JULIET, TUBOLT, NYRS a'r holl westeion a boneddigesau, at y mascwyr)

Cápwlet
Croeso, fon'ddigion! Mae pob rhiain fwyn,
Os nad oes ganddi gyrn, yn barod iawn
I ddawnsio gyda-chi. Dowch, ferched, dowch!
Pwy wrthyd ddawnsio'n awr? Af ar fy llw, –
'Does neb yn swil os nad yw'n berchen corn.
Gawsoch-chi'r awgrym, 'sgwn i? Do, 'rwy'n siŵr.
Croeso, fon'ddigion. Gwelais innau ddydd
Y gwisgwn fwgwd, a dweud stori daer
Yng nghlust merch ifanc fwyn, i ryngu ei bodd;
Ond darfu'n dwthwn, a chan ffoi fe ffodd.
Fon'ddigion, croeso! Miwsig, gerddorion gwiw!
(Miwsig yn cychwyn, a dawnsio'n dilyn)
Gwnewch le, gwnewch le. Dowch, ferched, dawnsiwch, dowch!

Hogiau, cludwch y byrddau o'r naill du;
A beth am well goleuni a llai o dân? –
Hai, syre, dyma sbort annisgwyl iawn!
Na, 'nghefnder Cápwlet, eisteddwch chwi.
'Rych chwi a minnau'n awr tu-hwnt i ddawns.
Sawl blwyddyn rŵan ers pan oeddym **ni**
Mewn masc fel hyn o'r blaen?

Cefnder Yr achlod fawr,
Mae purion ddeg ar hugain.

Cápwlet Tybed, ddyn?
Mae llai na hynny, yn wir, gryn dipyn llai
Ers gŵyl briodas fawr Lwcentio:
A doed y Sulgwyn gynted ag y myn, –
Rhyw bump ar hugain mlynedd gwta sydd
Ers pan wisgasom fwgwd.

Cefnder Nac e, 'n wir:
Mae mwy na hynny. Mae **mab** Lwcentio'n awr
O leia'n ddeg ar hugain 'rydwi'n dallt.

Cápwlet Ond llwyr amhosibl, fachgen! 'Does fawr iawn
O amser ers pan ddaeth y mab i'w oed . . .

Romeo *(Wrth un o'r gweision)*
Pwy ydi'r fun sy'n cyfoethogi llaw
Y marchog ffodus acw?

Gwas 'Dwn-i ddim, syr . . .

Romeo Mae'r ffaglau'n ymddisgleirio yng ngŵydd y dlos,
A hithau'n hongian draw ar rudd y nos
Fel diamwnd ar glust Ethiop! Trysor drud,
Rhy hardd a chostus at wasanaeth byd!
Ymddengys hon ymhlith cymheiriaid cain
Megis colomen gannaid ym mysg brain!
Pan baid y ddawns, af ati. I'm llaw i
Daw bendith os caf gyffwrdd â'i llaw hi.
A gerais i **cyn** heno? 'Choelia-i fawr!
Ni welais wir brydferthwch hyd yn awr.

Tubolt Mae hwn, wrth sŵn ei lais, yn Fóntagiw.
Lanc, tyr'd â meingledd im. A faidd y cnaf
Ddod yma i'n plith, a mwgwd dros ei wep,

I fwrw ei wawd a'i ddirmyg ar ein gŵyl?
Myn tras ac enw da fy mhobl fy hun,
Nid pechod fyddai lladd y cyfryw un.

Cápwlet Fy nai, beth sy'n dy gorddi?

Tubolt F 'ewythr gwiw,
Beth ond y gelyn draw? Mae'n Fóntagiw.
Y bilain ganddo, fe ddaeth yma i'n gŵyl
I wneuthur gwawd ohonom, er mwyn hwyl.

Cápwlet Ai'r ifanc Romeo yw?

Tubolt Ïe'r taeog Romeo.

Cápwlet O, wel, gad lonydd iddo, f 'annwyl nai:
Mae'n foneddigaidd ym mhob dull a modd;
Yn wir, mae tre' Verona'n canmol hwn
Fel llanc rhinweddol, llawn cwrteisi mwyn.
Ni charwn i, am gyfoeth yr holl dref,
Weld ei sarhau gan neb o fewn fy nhŷ;
Ac felly, pwyll: na chymer sylw ohono.
Dyna fy nghyngor, ac os perchi 'nghais,
Boed lon dy wedd, a phaid â chuchio mwy.
Anaddas yw digofaint lle bo dawns.

Tubolt Mae'n addas pan fo bilain yn yr ŵyl.
Ni allaf odde'r cnaf.

Cápwlet Heno, ddyn bach, 'does dim ond godde' i fod.
Ai fi ydi'r meistr yma, ai ti? Twt, twt!
Methu â godde'r hogyn? Gwarchod pawb, –
Tydi am godi helynt yn fy nhŷ!
Tydi am gychwyn stŵr! Tydi'n ddyn mawr!

Tubolt Ond, f 'ewythr, y fath warth!

Cápwlet Lol-botes maip!
Yr hogyn sosi gennyt! Gwarth ai e?
Gall hyn droi'n golled fawr i ti. O gall!
Tydi'n fy nghroesi-fi! Wel, mae'n hen bryd –
O'r gorau, ffrindiau! – Y ceiliog dandi, dos!
Bydd distaw, neu – Ho! mwy o olau! – Ffei!
Gwn beth i'w wneud â thi! – Hwyl, ffrindiau llon!

Tubolt Amynedd caeth yn cwrdd â dicter gwallgo', –
Fe bair i'm cnawd ddirgrynu wrth ymrwystro.

Enciliaf dro. Rhaid troi'r ymyrraeth drud,
Sy'n **fêl** efallai'n awr, yn **fustl** i gyd.

(Exit TUBOLT)

Romeo Ni all f'anheilwng law ddim ond sarhau
Y llaw wen hon; ac am y trosedd hy,
Mae dau bererin, sef y minion mau, –
Yn chwennych ymddiheuro â chusan cu.

Juliet Ond chwarae teg, bererin mwyn, i'th law
Sy'n awr yn dangos ei defosiwn gwiw;
Rhoi'i law y bydd pererin ar law sant, –
A llaw ar law, – pererin-gusan yw.

Romeo Ond rhoed i saint a phererinion byd
Bâr o wefusau.

Juliet Do, i weddïo Duw.

Romeo Wel, rhoddwn, f'annwyl sant, wefusau 'nghyd,
Fel dwylo 'ngweddi, – er mwyn i ffydd gael byw.

Juliet Ni syfl y saint, er na fwriadant wrthod.

Romeo Wel, na syfl di; cyflawnaf innau'r ddefod.
(Fe'i cusana)
Â'th fin, o'm min 'rwyt wedi clirio 'mai,

Juliet Ac ar fy ngwefus i mae'r bai yrŵan!

Romeo Dychwel ef im; mae gras yn stôr di-drai.
(Ymgusanant drachefn)

Juliet 'Rwyt ti'n cusanu wrth ddefod!

Nyrs Madam,
Dymuna eich mam gael gair neu ddau â chwi,

Romeo Beth yw ei mam?

Nyrs Wel, hawyr bach, lanc ifanc!
Ei mam yw gwreigdda'r tŷ, – a **gwraig dda** yw,
Llawn rhinwedd doeth. Myfi oedd nyrs y ferch,
Y ferch oedd yma'n sgwrsio â chwi. A chlywch,
Y sawl gaiff afael arni, – coeliwch fi,
'Fydd hwnnw byth yn dlawd.

Romeo Ai Cápwlet yw?
O gyfri' drud! Cans bellach rhaid im fyw
Mewn dlêd i'm gelyn!

Benvolio Ymaith: darfu'r sbri;
Cans daeth yr ŵyl i'w hanterth. Adre' â ni.

Romeo **Mawr iawn** yr hwyl, ond **mwy** fy helbul **i.**

Cápwlet Fon'ddigion, 'does dim rhaid ymado'n **awr**!
Bydd gennym damaid bach o wledd ar hyn.
(Sibrydant yn ei glust)
Ai dyma'r brys? Wel, foneddigion hoff,
Diolch o galon ichi, a 'Nos dawch'.
(Daw'r gweision â golau i hebrwng yr ymwelwyr allan)
Myn f'enaid, syre, – mae hi'n berfedd nos!
Rhaid imi ruthro i orffwys.

(Exeunt bawb ond JULIET a'r NYRS)

Juliet Dowch yma, nyrs. Pwy yw'r dyn ieuanc draw?

Nyrs O, mab yr hen Diberio, a'i etifedd.

Juliet Pwy ydi'r llall, sy'n mynd trwy'r drws yn awr?

Nyrs Y llanc Petrwfio, 'ddyliwn, ydi 'nacw.

Juliet A phwy ydi hwnna, na fynnai ddawnsio â neb?

Nyrs O, 'dwn-i ddim.

Juliet Ewch, ffeindiwch allan – (Gwaelod bedd a gaf
Yn wely priodas, os gŵr priod hwn)

Nyrs Ei enw yw Romeo, – un o lwyth Móntagiw, –
Ac unig fab eich gelyn gwaethaf yw.

Juliet Fy unig gas yw f'unig gariad mwy:
Gweld yn rhy gynnar, heb adnabod pwy.
Rhyw gariad-enedigaeth rhyfedd iawn
Yw gorfod caru gelyn a gasawn.

Nyrs Be' ddeudsoch chi?

Juliet Rhyw gân a ddysgwyd im
Gan ddawnswyr, gynnau.

(Mae rhywun o'r golwg yn gweiddi 'Juliet'.)

Nyrs Purion! Hei-di-ho!
Dowch, mae'r ymwelwyr wedi mynd ers tro.

(Exeunt)

ACT II

GOLYGFA I

Enter CORWS

Corws Yn awr mae'r hen ddyhéu dan farwol glwy,
A newydd serch yn awchu am ddwyn ei stad.
Yn ymyl Juliet gu, nid prydferth mwy
Mo'r ferch 'fu'n achos gofid a thristâd.
Fe gerir Romeo'n awr, – câr yntau'n ôl:
Gorchfygwyd dau gan swynion pryd a gwedd;
Mae ef yn caru er gwaethaf rhwystrau ffôl;
Câr hithau er gwaethaf ing a phoen di-hedd.
Fel gelyn, ni chaiff Romeo gyfle, heb loes,
I sibrwd addunedau cariad triw:
'R un wedd, i Juliet hithau, siawns nid oes
I gwrdd yn dawel â'i hanwylyd gwiw.
Ond cwrddyd wnânt, er hyn, yng ngrym eu serch;
A daw mwynhad i leddfu'r ingoedd erch.

(Exit)

(Enter ROMEO, ar ei ben ei hun)

Romeo A'm calon yma, a fedraf gilio i ffwrdd?
Tro'n ôl, gorff dwl, i geisio craidd dy fod.

(Enter BENVOLIO gyda MERCŴTIO. Cilia ROMEO o'r golwg)

Benvolio Romeo! Fy nghefnder Romeo! Romeo!

Mercŵtio Mae'n ddoeth; aeth adre' i'w wely yn syth, cred fi.

Benvolio Daeth at y berllan hon a neidio'r mur.
Mercŵtio, gwaedda di.

Mercŵtio Mi wnaf! Mi wnaf
Ac fe'i consuriaf hefyd! – Romeo!
'Stumiau! Gwallgofddyn! Nwydau! Carwr!
Yn rhith ochenaid, tyrd, ymddangos im.
Dwed bennill bach, a bodlon fyddaf. Tyr'd!
Bloeddia "Och fi!" neu odli 'serch' â 'merch';
A dwêd air tlws wrth Fenws lac ei min, –
Rhyw un llys-enw i'w haer, – y cib-ddall fab,
Yr ifanc Abram Ciwpid, sicr ei saeth,
A wnaeth i'r teyrn Cophetwa fwrw ei fryd

Ar forwyn dlawd . . . Pw! tydi-o'n clywed dim:
Ni syfl, ni chyffry ddim. Mae'n farw gorn;
A rhaid i minnau ei gonsurio fo: –
   Yn enw Rosalin a'i disglair drem,
Ei thalcen uchel a'i dwy wefus goch,
Harddwch ei throed a'i choes, a chyffro'i chlun,
A phob cyfagos randir, – fe'th dynghedaf, –
Ymddangos inni yn dy siâp dy hun!

Benvolio Os clywodd-di, bydd wedi digio'n bwt.

Mercŵtio Ni ddigia hyn mohono, ond digiai'n siŵr
Pe codwn, o fewn cylch ei Rosalin,
Ryw ysbryd ód, a'i ado'n sefyll yno
Nes iddi hi gonsurio'r peth i ffwrdd.
Sarhad mawr iawn fai hynny. Ond 'r wyf fi
Yn actio'n eitha' teg: consurio'r wyf
I godi Romeo yn enw Rosalin.

Benvolio Tyrd! Mae'n ymguddio ymysg y prennau hyn,
Mewn ymgyfathrach â'r bruddglwyfus nos.
Dall yw ei serch, ac addas iawn i'r gwyll.

Mercŵtio Os dall yw serch, 'd all-o ddim trawo'r nod!
Fe fydd yn eiste'n awr dan fedlar bren.
Gan led-ofidio na bai 'i feistres fwyn
Y fath o ffrwyth a elwir yn fedleriaid
Gan swil forynion wrth ysmalio 'nghyd.
O, Romeo, na bai hon, O na bai hon
Yn din-rwth faeden, tithau'n garwr ffri.
Romeo! af adre'n awr i'm gwely bach:
Nos dawch; ni chysgaf allan, mae'n rhy oer.
Benvolio, ddoi-di?

Benvolio Dof, cans gwaith di-fudd
Yw ceisio'r neb sy'n **mynnu** bod yn gudd.

(Exeunt BENVOLIO a MERCŴTIO)

GOLYGFA II

Daw ROMEO ymlaen

Romeo I weilch di-glwy mae creithiau'n destun gwawd.
(Enter JULIET uchod)
Ond, beth yw'r golau yn y ffenestr acw?
Y Dwyrain yw, a Juliet ydyw'r haul!
Cyfod, haul deg, a lladd yr eiddig loer
Sydd eisoes yn clafychu a gwelwi'n brudd
Am dy fod ti, ei morwyn, yn fwy teg
Ganwaith nag ydyw hi! Paid tithau mwy
Â bod yn forwyn iddi, mae'n eiddigus;
Cans gwael a gwyrdd yw gwyry-lifrai hon:
Nis gwisgai ond yr ynfyd. Ffwrdd â hi –
Dacw f'arglwyddes. Ie, f'anwylyd yw!
Och na bai hithau'n gwybod hynny! Ust!
Mae'n siarad. Ond ni ddywaid ddim. Ba waeth?
Mae'i llygaid yn llefaru. Atebaf hi.
Ond rhy bowld wyf, cans nid â mi y sieryd!
Dwy seren dlysa'r nef, cyn brysio i ffwrdd
Ar neges bwysig, sydd yn crefu ar hon
Ado i'w llygaid, yn eu habsen hwy,
Dywynnu'n llon, am ysbaid, yn eu lle!
Ond beth pe ffeirient le â'i llygaid hi?
Fe'u cywilyddid gan ddisgleirdeb hardd
Ei gruddiau, megis lamp gan olau dydd!
Tywynnai llygaid hon mor ddisglair fry
Nes gwneud i'r adar ganu wrth weld y nos
Yn ffoi ar doriad gwawr. Ha, dacw hi! . . .
Mae wedi gwyro'i grudd ar gledr ei llaw!
O, am gael bod yn faneg ar ei llaw
I fedru cwrdd â'i grudd!

Juliet Och fi.

Romeo Mae'n siarad!
O, f'angel disglair, dal i ymson fry.
'Rwyt i mi'n awr, a thithau uwch fy mhen,
Mor ogoneddus gannaid y nos hon
Ag ydyw cryf-adeiniog gennad nef
I lygaid bolwyn rhwth marwolion mud
A hwythau'n gwyro'n ôl er mwyn ei weld
Yn marchog y cymylau mwyth uwch ben.

Juliet *(Yn ymson)* O Romeo, Romeo! Paham wyd Romeo di?
Ymwâd â'r enw: ymwâd â'th deulu a'th dad;
Neu, twng i'r Nef dy fod yn gariad im, –
Mi wadaf innau yr enw Cápwlet!

Romeo *(O'r neilltu)* Beth 'wnaf? Ei hannerch, ynteu gwrando 'mlaen?

Juliet Dy **enw** yn unig sydd yn elyn im.
Cans ti dy hun wyt ti, nid Móntagiw.
Pa beth yw Móntagiw? Nid llaw, na throed,
Na braich, na phen, nac unrhyw arall ran
Sy'n eiddo dyn. O, am wahanol enw! –
Beth sy' mewn enw? Byddai'r rhosyn hwn
Yr un mor ber ei sawr dan enw arall.
Romeo 'r un fath. Pe rhôn nas gelwid-ef
Yn Romeo mwyach, byddai 'r un mor llawn
I lân berffeithrwydd. Romeo, llwyr ymwâd
Â'r enw nad yw'n rhan ohonot mwy;
Ac yn lle hwnnw, weithion, cymer fi
Fy hunan oll.

Romeo Cymeraf-di ar dy air!
Galw fi'n gariad; ail-fedyddier fi:
Gwybydded pawb nad Romeo monof mwy.

Juliet Pa ddyn wyt ti, dan lenni'r nos fel hyn,
Sy'n damwain ar fy sgwrs?

Romeo Ag enw yn awr
Ni wn-i sut y d'wedaf it pwy wyf.
O, santes, 'rwy'n casáu fy enw fy hun,
Cans gelyn yw i ti; a phe bai'r gair
Mewn 'sgrifen ar fy llaw, fe'i drylliwn-o.

Juliet Ni ddaeth im clyw hyd yma ond nifer fach
O'th eiriau-di, ond gwn pwy biau'r llais.
Cans onid Romeo wyt, a Móntagiw?

Romeo Nid 'r un o'r ddau, fun dlos, os atgas yw
I'th glustiau di.

Juliet Ond dwêd, pa fodd a pham
Y daethost yma? Serth ac uchel iawn
Yw mur y berllan, Felly, a thi'r hwn wyt,

Mae'r lle'n beryglus it; ac os daw rhai
O'm ceraint yma, a'th weld, fe'th leddir di.

Romeo Ar hoew adenydd serch y rhoddais lam
Dros fur y berllan. Ni all meini trwch
Unrhyw wal derfyn gadw cariad draw.
Yr hyn a ddichon serch, os myn, fe'i gwna.
Ni all dy geraint f 'atal.

Juliet Ond yn wir,
Os gwelant-di, fe'th laddant!

Romeo Och, mi wn
Fod mwy o berigl yn dy lygaid di
Nag sy mewn ugain o'u cleddyfau hwy.
Bydd di yn fwyn dy drem, ac ni all neb
O'th geraint fy niweidio.

Juliet Am yr holl fyd,
Ni charwn iddynt ddod o hyd i ti.

Romeo Fe'm cuddir-i gan fantell nos o'u gŵydd:
Ond os wyt ti'n fy ngharu, caed y rhain
Fy nal, os mynnant! Gwell fai sydyn dranc
Na blin oroesi heb dy wenau di.

Juliet Yn rhodd, pwy oedd d'arweinydd i'r lle hwn?

Romeo Cariad yn gyntaf barodd imi holi.
Rhoes ef gynghorion im; rhois innau'n syth
Fenthyg fy llygaid iddo 'fo. Cans gwn
Nad peilot monof. Eto pe baut ti
Mor bell oddi yma ag yw'r cefnfor maith
Ym mhen draw pella'r byd, mi fentrwn draw
I geisio däed marsiandiaeth deg!

Juliet Ti wyddost fod y nos yn fwgwd im;
Pe amgen, dôi gwyryfol wrid i'm gwedd
Oherwydd iti glywed f 'ymson gynnau.
Mi garwn sôn am ffurf a moesau da,
A gwadu'r geiriau hynny. Ond, ffar-wel, ffurf!
'Wyt **ti**'n fy ngharu? Gwn y d'wedi, 'Wyf':
Ac mi rof gred i'r gair. Ond eto i gyd,
Mae'n bosibl twyllo. Pair anudon serch
Ddifyrrwch mawr i'r duwiau. Romeo fwyn,

O cheri fi, dwêd hynny'n onest, neu
Os teimli 'mod yn ferch ry hawdd ei hennill,
Mi guchiaf, ac mi fynnaf dynnu'n groes
Cyd bwyf yn siŵr ohonot; eithr onid e,
Nid am y byd. Yn wir, fwyn Fóntagiw,
Gwirioni 'r wyf, a gellit dybio wrth hyn
Mai anghyfrifol ydwyf; ond, cei weld
Foneddwr hoff, y byddaf **i**'n fwy triw
Na rhai mwy medrus mewn ymatal ffug.
Gall'swn, mae'n wir, fod wedi ymatal mwy;
Ond syrthiodd iaith fy nghalon ar dy glyw
Yn ddiarwybod im. O, maddau'r bai,
A gwybydd nad gwamalrwydd ond gwir serch
'Ddadlennwyd felly gan y dywyll nos.

Romeo Riain, yn enw'r lloer fendigaid fry
Sy'n brig-ariannu'r berllan, rhoddaf lw –

Juliet O, paid â rhoddi llw yn enw'r lloer
Sy'n **newid** yn ei chylchdro o fis i fis, –
Rhag ofn i'th serch gyfnewid yr un modd.

Romeo Ar beth y tyngaf ynteu?

Juliet Ar ddim byd!
Neu, os **rhaid** tyngu, twng i'th hunan gwiw,
Sef eilun-dduw f 'addoliad, ac wrth gwrs,
Fe'th goeliaf-di.

Romeo Myn cariad pur fy mron –

Juliet Na, paid â thyngu. Er maint y caraf di,
Nid yw'r cyfamod heno wrth fy modd.
Mae'n rhy ddi-fyfyr a rhy fyrbwyll-frysiog, –
'R un fath â'r fellten sydd yn peidio â bod
Cyn y gorffener dweud "Mae'n g'leuo mellt!"
Nos dawch, f 'anwylyd. Gall awelon haf
Aeddfedu'r serch-flaguryn hwn, a'i droi'n
Flodeuyn hardd cyn cael ohonom gwrdd
Â'n gilydd eto. Wel, nos dawch, nos dawch!
Preswylied mwyach yn dy fynwes di
Felysed hedd ag sy'n fy nghalon i.

Romeo O, paid â myned heb roi sicrwydd im.

Juliet Pa sicrwydd fyddai'n bosibl yma'n awr?

Romeo Ffeirio dy serch-adduned am f'un i.

Juliet Rhoddais f'un i cyn it ei cheisio 'rioed, –
Ond carwn petai'n rhydd i'w rhoi drachefn.

Romeo Ei chael yn ôl, f'anwylyd? O paham?

Juliet Ddim ond i gael ei rhoddi'n ôl i ti.
Ac eto, nid yw hyn ond chwennych cael
Rhywbeth sydd gennyf eisoes. Mae fy stôr
O 'wyllys da'n ddiderfyn fel y môr.
A'm serch cyn ddyfned. Wrth eu rhannu â thi
Cynyddant yn barhaus. Difesur ŷnt, –
'Rwy'n clywed sŵn o'r tŷ! Ffar-wel, fy nghariad.
(Mae'r NYRS yn gweiddi o'r tu-fewn)
O'r gorau, nyrs! – F'anwylaf Fóntagiw,
Bydd ffyddlon . . . Aros eiliad. dof yn ôl.

(Exit JULIET)

Romeo O, fendigaid nos! Ac eto, os nos yw-hi,
'R wy'n ofni braidd mai breuddwyd yw hyn oll, –
Rhy fwythus bêr i fod yn sylwedd siŵr.

(Enter JULIET uchod)

Juliet Tri gair, fy Romeo, ac yna'n wir, nos da.
Os yw dy serch yn gywir oll, a'th fryd
Ar lân briodas, anfon air yfory
I ddweud – trwy'r sawl 'anfonaf atat –
Pa bryd y cawn briodi, ac ym mhle;
Rhof innau'r cwbl a feddaf wrth dy draed,
A'th ddilyn megis f'arglwydd drwy'r holl fyd.

Y Nyrs *(Oddi mewn)* Madam!

Juliet O'r gorau, nyrs! – Ond os nad wyt o ddifri,
'R wy'n erfyn arnat –

Y Nyrs *(Oddi mewn)* Madam!

Juliet 'R wy'n dŵad, 'nawr! –
Ymâd â'th gais: boed rhyngof fi a'm siom.
Anfonaf atat 'fory.

Romeo Bendith Nef –

Juliet Canmil nos da, nos da!

(Exit JULIET)

Romeo 'R wy'n ganmil tristach heb d'oleuni di!
Daw serch i gwrdd â serch yn hapus rydd,
Fel plant yn dod o'r ysgol derfyn dydd;
Ond cariad, pan ffarwelio â chariad dro,
Fel plant yn **cyrchu'r** ysgol, trist yw o.

(Enter JULIET drachefn uchod)

Juliet Ust! Romeo! . . . O am lais hebogydd
I hudo'r mwyn-walch eiddof eto'n ôl!
Ni faidd caethiwed godi ei lef, mae'n floesg;
Pe amgen, drylliwn drigfan Eco draw,
A gwneud ei llais yn floesgach na f'un i,
Trwy weiddi a gweiddi a gweiddi "Romeo!"

Romeo F'enaid sy'n galw ar f'enw! O mor bêr
Yw sŵn acenion serch yng ngwyll y nos!
Mae'n fiwsig tyner i wrandawgar glust.

Juliet Romeo!

Romeo Eos fau!

Juliet Pa bryd yfory
Yr wyf i anfon atat?

Romeo Naw o'r gloch.

Juliet Mi gadwa' 'ngair. Mae amser maith tan hynny:
Ond pam, ys gwn, y gelwais-di yn ôl?

Romeo Nid af oddi yma nes it gofio pam.

Juliet I'th gadw yma, dal i anghofio wnaf,
A chofio anwyled yw dy gwmni di.

Romeo Arhosaf innau, oherwydd d'angof mwyn,
Heb gofio am unrhyw gartref onid hwn.

Juliet Mae'r bore'n prysur ddod. Gwell iti fynd, –
Ond nid ymhellach na'r aderyn dof

'Ollyngwyd gan ei berchen ffol yn rhydd
I hobian ymaith gam neu ddau o'i law,
(Fel truan mewn gefynnau) a'r perchen hurt,
Mewn pryder cenfigennus, yn rhoi plwc
I'r edau sidan gas i'w dynnu, chwap,
Yn ôl i'r hen gaethiwed.

Romeo

O, na bawn
Aderyn dof i ti.

Juliet

Gwyn fyd na baut!
Ond, fe'th goleddwn gymaint nes dy ladd.
Nos dawch, nos dawch! Mae'r ymwahanu hwn
Yn boen mor felys, medrwn ddweud 'Nos dawch'
Hyd wawr y bore.

Romeo

Nos dawch. Doed cwsg i'th drem a hedd i'th fron!

(Exit JULIET)

O na chawn fod yn gwsg a hedd i hon, –
Ac weithion, dacw'r wawr lwyd-lygad, lon,
Yn gwenu, er gwaethaf cuwch y ddunos hell,
Nes gloywi gwedd cymylau'r dwyrain pell.
Ffy'r caddug brith fel meddwyn brwysg yn awr
O ffordd y dydd, rhag ofn Huperion gawr:
Mi gyrchaf innau'r awron gell y ffrir
I ddweud fy hynt a cheisio'i gymorth gwir.

(Exit)

GOLYGFA III

Enter Y BRAWD LORENS ar ei ben ei hun, a basged ganddo.

Y Brawd Daw'r haul a'i danbaid drem ar fyr o dro
I lonni'r dydd a sychu gwlith y fro.
Mae'n rhaid i minnau lenwi'r fasged fau
Â ffiaidd chwyn ac iachus fflwr yn glau.
Y ddaear yw mam natur, ac 'r un wedd,
Mae'i chroth yn fynwent iddi ac yn fedd.
Ac O, mae llysiau'r ddaear, epil hon
A ffrwyth ei chroth, i gyd yn sugno'i bron.
Rhoed rhagoriaethau lu i rai ohonynt,
A llai i'r llaill, ond mor wahanol ydynt!
A'r fath ryfeddol stôr o rymus rad
Sy'n rhan o wir gynhysgaeth llysiau mad.
'Does dim mor ddrwg ar wyneb daear faith
Na ddichon droi'n ddaionus ambell waith;
Na dim mor dda, pes gwthid draw ar gam,
Na throai'n ddrwg, a cholli ei naws di-nam.
Mae'r blodyn eiddil hwn, a'i bersawr cu,
Yn gartre' gwenwyn **a** gwrth-wenwyn cry.
Fe rydd, o'i ffroeni, fywiocâd i'r gwan;
Ond pair ei **flas** farwolaeth yn y fan.
Ac onid oes dau frenin cryf, gwrthwyneb,
Yng nghalon dyn, – sef gras a hunanoldeb?
A lle bo'r ola'n cario'r dydd, gall tranc
Ddifa'r planhigyn oll i foddio'i wanc.

(Enter ROMEO)

Romeo Fy more da it, athro!

Y Brawd Benedicite!
Pa gynnar lais a'm cyfeirch-i mor fwyn?
Ŵr ieuanc, onid penbleth o ryw fath
A'th lusgodd-di o'th wâl mor fore â hyn?
Yn llygad henwr, Pryder prudd sy'n byw,
Ac ni ddaw cwsg i lety Pryder byth;
Ond lle bo'r ifanc, heb na chur na chlwy,
Yn estyn 'lodau'i gorff, daw euraid gwsg
I'w drem ar unwaith. Mae'r ymweliad hwn,
Yn oriau mân y bore, yn braw, mi wn,
Fod rhyw anghaffael yn cyffroi dy fryd;
Neu, os nad felly y mae, mi daerwn bron,
Na chyrchodd Romeo'i wely y noson hon!

Romeo Yr ail sy'n wir; ond cefais orffwys pêr.

Y Brawd Ai gyda Rosalin? Na ato Ner.

Romeo Na, dduwiol dad, nid gyda Rosalin:
Ymhell bo'r enw hwnnw a'i chwerwder blin.

Y Brawd Da iawn, fy mab! Ond dwêd, p'le buost ti?

Romeo Mae'n bleser gennyf ateb, coelia fi!
'R wyf wedi bod yn gwledda gyda'm gelyn, –
Ac yno fe'm trywanwyd yn dra sydyn
Gan un a glwyfais innau. Gwn nad oes
Rwymedi i'r un ohonom dan ein loes,
Oddieithr dy help a'th foddion grasol di.
Nid oes ŵr Duw, ddim cas yn hyn i gyd:
'R wy'n eiriol dros fy ngelyn yr un pryd.

Y Brawd Bydd glir, fy mab, os yw dy gais o bwys:
O gyffes dywyll daw maddeuant mwys.

Romeo O'r gorau, gwybydd fod fy serch a'm bryd
Ar unig ferch y pennaeth Cápwlet;
Mae hithau o ddifrif yn fy ngharu'n ôl.
Ac felly, ar fyr, nid erys ond i ti
Ein huno trwy briodas. Sut a phryd
Y cyfarfuom, y daeth cariad rhôm,
Ac y ffeiriasom wedyn serchog lw,
Cei wybod ar y ffordd; ond clyw fy nghri: –
Bydd barod **heddiw** i'n priodi ni.

Y Brawd San Ffransis! Dyma newid! Dyma dro!
Y Rosalin a garut-ti mor fawr
Yn awr yn wrthodedig! Gorwedd serch
Gwŷr ieuainc heddiw yn eu llygaid hwy
Yn hytrach na'u calonnau. Gwarchod pawb!
'Roedd dagrau gynt yn troi dy ruddiau'n llwyd
O'i phlegid hi. Gwastreffit ddagrau hallt
I roddi blas ar serch; ond ofer fu:
Ni allai'r haul ddileu d'ochenaid dwys,
Ac erys sŵn dy riddfan ar fy nghlyw.
'R wy'n gweld fod staen hen ddeigryn ar dy rudd
Yn aros eto heb ei olchi i ffwrdd.
Os didwyll oeddit, ac os gwir y gwae,

'Roedd hyn i gyd o achos Rosalin.
Ac a newidiaist ti? Wel, dyna'r drefn: –
"Benyw ni lŷn wrth ddyn di-asgwrn-cefn".

Romeo Ac eto, fe'm ceryddaist lawer gwaith
Am garu Rosalin.

Y Brawd Do, ddisgybl, do!
Y 'dotio', nid y 'caru', oedd y drwg.

Romeo 'Cladd gariad' oedd dy gyngor.

Y Brawd Nid mewn bedd,
Nid claddu'r naill er mwyn hyrwyddo'r llall.

Romeo Ond, chwarae teg, – mae'r hon a'm câr yn awr
Yn rhoddi gras am ras, a serch am serch;
Nid felly'r llall.

Y Brawd Fe wyddai honno, wrth gwrs,
Mai serch yn darllen 'ar y cof', nid serch
Yn medru 'sbelio' oedd gennyt. Ond yn awr,
Tyr'd, anwadalwr ifanc, dilyn fi.
Un peth sy'n cyfiawnhau rhoi help i ti:
Fe all yr uniad newydd, (Pwy a ŵyr?),
Droi cweryl rhwng dau deulu'n heddwch llwyr.

Romeo Ie, ffwrdd â ni! Mae brys yn rheidrwydd im.

Y Brawd Gan bwyll, gan bwyll: hawdd tripio rhedwr chwim.

GOLYGFA IV

Enter BENVOLIO a MERCŴTIO

Mercŵtio P'le andros y gall y Romeo-'ma fod? 'Ddaeth-o ddim adre' heno?

Benvolio Ddim o gwbl oll. Bûm yn holi ei was.

Mercŵtio Y greulon-welw fursen, Rosalin,
Sy'n dal i'w boeni a'i ddyrysu'n llwyr.

Benvolio Mi wn fod llythyr iddo, oddi wrth Tubolt –
Nai yr arglwyddes Cápwlet,| yn y tŷ.

Mercŵtio Sialens, myn diain-i.

Benvolio A bydd Romeo'n ateb.

Mercŵtio Gall unrhyw ddyn fedr 'sgrifennu ateb llythyr.

Benvolio Ond ateb y llythyrwr a slensio'r sialensiwr y bydd Romeo.

Mercŵtio Romeo druan! Mae-o'n farw gorn eisoes! Wedi'i drywanu gan lances wen a llygad du. Mae cân serch wedi clwyfo'i glust-o, a saeth pŵl o fwa'r boi bach dall wedi cracio canolbin 'i galon-o. Sut y gall dyn fel yna herio Tubolt?

Benvolio Twt lol, a be' ydi Tubolt?

Mercŵtio Nid Prins y Cathod yn unig ydi-o, gwaetha'r modd, ond gwrol gapten rheoldeb hefyd. Mae'n cwffio'n drefnus, fel pe'n canu pricsiwn; yn cadw amser, pellter a balans; yn ffug-ergydio bob tro cyn taro, un, dau, a'r trydydd yn eich bron. Bwtsier y botwm sidan! Gornestwr! Gornestwr! Sialensydd boneddicaf yr ysgol enwocaf, heb ddim ond yr esgus cyntaf neu'r ail. Ac wedyn, – O! yr anfarwol basado! y *pwnto reverso*! – yr hai! –

Benvolio Y beth?

Mercŵtio Ond plag ar y ffyliaid ffantastig per-fyngus eraill, sy'n tiwnio idiom a llediaith y dydd: – "Myn f 'enaid, ymladdwr ceiliogaidd, puteiniwr gwych!" On'tydi-o'n warthus, tad cu, fod y gwybed ffôl hyn, – bois y ffasiwn a'r *pardonez mois* – yn cael chwerwi'n bywyd-ni? Mae'r rhain mor gaeth i'r steil ddiweddara ni allant eistedd ar stôl o'r hen batrwm heb gael clustog 'tanynt. Eu hesgyrn! Eu hesgyrn! –

(Enter ROMEO)

Benvolio Dyma Romeo'n dŵad! Dyma Romeo'n dŵad!

Mercŵtio Fel pennog coch heb ei rawn! (O! gnawd, gnawd; O, bysgodyn oer). Mae'n nofio mewn dyfroedd Petrarcaidd yn awr. Ond wrth ei gariadferch ef 'doedd Lowra'n ddim ond morwyn cegin. Cafodd honno, mae'n wir, well rhigymwr yn gariad; 'roedd Dido'n bur deidi, Cleopatra'n sipsi, – Helen a Hero'n daeogion a budrogion a Thisbe'n las-lygad fwy neu lai, 'tasai haws er hynny. . . *Signor Romeo, bon jour*, – ('Rwy'n cyfarch dy lodrau Ffrengig yn Ffrangeg!) Fe'n twyllaist neithiwyr, do'n wir, do'n wir!

Romeo Bore da, eich dau. Ond pa dwyll oedd hwnnw?

Mercŵtio Chwarae ffon ddwybig, syr. 'Wyt ti'n cofio dim byd?

Romeo Pardwn, Mercŵtio. 'Roedd gen-i fusnes eithriadol bwysig, ac mewn achos o'r fath gellir llacio cwrteisi bid siŵr.

Mercŵtio 'R wyt cystal â dweud fod yr achos dan sylw yn golygu gwyro tua'r gwaelod.

Romeo I roi cyrtsi, er enghraifft?

Mercŵtio 'Rwyt-ti'n rhywle o'i chwmpas-hi!

Romeo Dyna awgrym cwrtais dros ben.

Mercŵtio Siŵr iawn! Fi ydi blodyn cwrteisi.

Romeo Sef blodyn pinc?

Mercŵtio Eitha 'reit.

Romeo Mae'r esgid binciedig hon, felly, 'n flodeuog?

Mercŵtio Ffraethineb di-feth. Ymlaen â'th 'smaldod, nes i'r esgid wisgo i lawr at y wadan. Rhyw smaldod **un** wadan fydd dy smaldod wedyn!

Romeo Smaldod **un** wadan, noeth a llwyr egwan!

Mercŵtio Tyrd rhyngom-ni, Benvolio, mae fy meddwl yn meddalu.

Romeo Beth am chwip a sbardun, rhag im ennill y ras.

Mercŵtio Ond os hela'r ŵydd wyllt sydd i fod, dyna ben. Mae mwy o'r ŵydd mewn **un** synnwyr gen'-**ti** nag sy gen' **i** mewn pump. 'Ddaru-mi dy ddilyn-di, dywed, ynglŷn â'r ŵydd?

Romeo Ddaru-ti 'rioed fy nilyn oddieithr fel gŵydd.

Mercŵtio Gallwn frathu dy glust am y ffraetheb yna.

Romeo O, na, dirion ŵydd, 'does dim brathu i fod.

Mercŵtio Fe droes dy ffraethineb yn afal sur. Mae'n saws hynod siarp.

Romeo Ond mae'n eithaf addas wrth fwyta gŵydd felys.

Mercŵtio O, hydwyth arabedd! Troi modfedd brin yn llathen fras.

Romeo Ei ledu'r wyf i gyfateb i'r 'bras', a'i gysylltu â'r ŵydd, fel y gwypo pawb mai gŵydd fras wyt ti.

Mercŵtio Ac onid gwell hynny na griddfan am gariad! 'R wyt-ti'n gymdeithasgar, 'rwyt-ti'n Romeo rŵan. 'Rwyt-ti'n awr yr hyn wyt mewn gwirionedd, o ran dawn yn 'gystal ag o ran natur. Ymhell y bo'r serch glafoeriog–'ma. Mae hwnnw fel y ffŵl cynhenid sy'n rhuthro'n ôl a blaen â'i dafod allan, i guddio'i bastwn mewn twll.

Romeo Dyna ddigon, hen ddigon.

Mercŵtio 'Wyt-ti'n disgwyl imi stopio, pan yw stopio'n groes i'r graen.

Romeo Ydw', cyn i betha' fynd yn rhy bell.

Mercŵtio O, 'rwyt-ti'n cam-ddallt. Mi faswn **i** yn siŵr o stopio mewn pryd, nid gwthio 'mlaen i'r pen draw.

Romeo Wel, dyma olygfa!
(Enter y NYRS a'i gwas, PITAR)
Cwch hwyliau! Cwch hwyliau! Cwch hwyliau braf!

Mercŵtio Dau! dau! Crys **a** blows.

Nyrs Pitar!

Pitar Ia?

Nyrs Tyr'd â'r ffan imi. Brysia!

Mercŵtio Ia, Pitar bach, i guddio'i hwyneb. Mae 'i ffan-hi yn ffeinach na'i ffas.

Nyrs Bore da ichi, fon'ddigion.

Mercŵtio Pnawn da i **chi**, fon'ddiges gain.

Nyrs Ydi-hi eisoes yn brynhawn?

Mercŵtio Ydi, coeliwch fi. Mae llaw bowld y ddeial ar fogel y dydd.

Nyrs Rhag c'wilydd ichi. Dyn ofnadwy ydach-chi!

Romeo Mae-o'n ddyn o waith Duw, fon'ddiges; ond mae o'n difwyno'i hun.

Nyrs Disgrifio da, myn f 'enaid-i. "Difwyno'i hun" – debyg iawn. Fon'ddigion, fedar rhywun ddweud ymhle y caf hyd i'r dyn ifanc Romeo?

Romeo Mi fedra **i** ddweud wrthych. A bydd yr ifanc Romeo yn hŷn pan gewch hyd iddo nag oedd-o pan chwiliech amdano. Fi ydi'r iengaf o'r enw yn niffyg un gwaeth.

Nyrs Dywetsoch yn dda.

Mercŵtio Y gwaethaf yn dda, ai-e? Ymateb gwir dda: doeth iawn, doeth iawn!

Nyrs Os chi ydi-o, syr, mi garwn gael gair yn breifat hefo-chi.

Benvolio Caiff wadd i ryw swper, mae'n siŵr.

Mercŵtio Cyffoden, cyffoden, cyffoden. Wel, ho!

Romeo Wel ho? Be' godaist-ti?

Mercŵtio Nid sgwarnog, syr, – os nad sgwarnog mewn pastai G'rawys, a honno'n ddiflas a briglwyd braidd.

(Mae'n cerdded heibio iddynt ac yn canu)

Hen sgwarnog lwyd,
Hen sgwarnog lwyd,
Mae'n gwneud y tro tua'r G'rawys.
Ond pa fath o fwyd
Ydi sgwarnog lwyd –
A'i nwyd wedi darfod eisys?

Romeo, 'wyt-ti ar y ffordd i dŷ dy dad? 'R ŷm ni'n dau yn mynd yno am ginio.

Romeo Fe'ch dilynaf yn y man.

Mercwtio Yn iach, 'r hen ledi, yn iach. *(Mae'n canu)* Ledi, ledi, ledi.

(Exeunt MERCŴTIO a BENVOLIO)

Nyrs Atolwg, syr, pa ryw farsiant sosi oedd hwnna, a chanddo feddwl mor fawr o'i rabscaldod?

Romeo Boneddwr, nyrs, sy'n hoff o glywed ei lais ei hun, ac yn traethu mwy mewn munud nag y saif ato mewn mis.

Nyrs Os dyfyd o air yn f'erbyn **i**, fe'i tynnaf i lawr, ac ugain Siac o'i fath, waeth gen' i tae o'n lystïach nag ydi-o; neu mi ffeindiaf rywun all weithredu'n fy lle. Y cnaf di-doriad! Nid un o'i siani-fflyrtis, nid un o'i sgein-hogenod monof fi.
(Try at ei gwas PITAR) 'Rwyt titha'n sefyll draw, a gado i bob cna' fy ngham-drin wrth ei fodd.

Pitar 'Weles-i neb yn eich trin wrth 'i fodd; pe amgen, basai 'mhastwn allan yn bur fuan. Mi fentrwn wneud hynny cyn gynted â neb, pe gwelwn fod angen, a'r gyfraith o'm plaid.

Nyrs A Duw'n dyst, 'rwyf mor gynhyrfus, 'rwy'n gryndod i gyd. Y cnaf di-doriad ganddo! . . . *(wrth ROMEO)* Atolwg, syr, gair bach; ac, fel y dywedes-i, archodd f'arglwyddes ifanc imi chwilio'n daer amdanoch. Mi gadwaf ei neges yn gyfrinach. Ond yn gynta' peth, mi garwn ddeud, os ceisiwch ei harwain i baradwys ffyliaid, fel tae, hen dric budur fasa' hynny, chwadal pobol. Mae'r fon'ddiges yn ifanc, ac felly, pe gwnaech chi dro sal â hi, mi fasa'n andros o beth i'w wneud, ac yn fusnes annheilwng iawn.

Romeo Nyrs, cofia-fi'n gynnes at f'arglwyddes, dy feistres. 'Rwy'n dy sicrhau –

Nyrs Da, 'machgen-i, ac ar fy llw, mi ddwedaf hynny wrthi. 'Wyddoch-chi be? mi fydd wrth ei bodd.

Romeo Dweud beth wrthi, Nyrs? 'Dwyt-ti ddim yn gwrando arnaf –

Nyrs Mi ddwedaf wrthi, syr, eich bod-chi wedi rhoi sicrwydd, ac mae hynny, mi gredaf yn fargen foneddigaidd.

Romeo Arch iddi hi ddyfeisio dull a modd
I ddyfod i'r gyffesgell heddiw'r pnawn,
At y Brawd Lorens. Fe'i cyffesir hi,
Ac fe'i priodir yno . . . Hwde, gil dwrn.

Nyrs Yn wir, syr, na; 'r un ddima'.

Romeo Hwde, – dim lol.

Nyrs Pnawn heddiw, syr? O'r gorau; yn ddi-ffael.

Romeo Ac aros, Nyrs, gerllaw'r abaty, dro.
Cyn pen yr awr, fe ddaw fy ngwas i'r fan
A rhaff o gortyn, ar ffurf ysgol, it, –
Ysgol i'm fforddio i fyny, berfedd nos,
At alawnt uchel fy llawenydd fry.
Ffar-wel; gwna d'orau, ac mi dalaf it.
Ffar-wel. A'm cofion at dy feistres.

Nyrs Bendith y Nefoedd arnoch-chi. Ond clywch!

Romeo Ie, nyrs fwyn, beth sydd?

Nyrs A fedrwn-ni ddibynnu ar eich gwas?
Gall **dau** gadw cyfrinach, – ond nid tri.

Romeo Mae 'ngwas yn driw fel dur, mi wrantaf it.

Nyrs Wel, syr, mae fy meistres yn annwyl tu-hwnt. Wyddoch-chi be? Pan oedd hi'n groten bach siaradus –. O, mae'na ŵr bonheddig yn y dre', o'r enw Paris. Fe leicia' fo gael closio ati; ond byddai'n well ganddi hi, y beth bach, weld llyffant du, ie llyffant du, na gweld hwnnw. Mi fydda i yn ei phryfocio-hi weithia', ac yn deud mai Paris ydi'r dyn hardda'; ond credwch fi, bob tro y deuda-i hynny, mae hi'n troi'n fwy gwelw nag unrhyw glwt yn yr holl gre'digaeth. Ond mae rhosmari a Romeo yn dechra' hefo'r un llythyren, onid ŷnt?

Romeo Ydyn', nyrs, y ddau'n dechrau ag 'R'. Ond beth am hynny?

Nyrs Ha! y tynnwr coes! Enw ar gi ydi hwnna. Mae 'R' yn sefyll am – Ond na, mae hwnnw'n dechrau hefo llythyren arall! Ac mae ganddi hitha'r syniada' mwya' pert am y peth, – ac amdanoch chi a Rhosmari, mi fasach wrth eich bodd yn 'i chlywad-hi.

Romeo Cofiwch fi at eich meistres.

Nyrs Mi wnaf, fil o weithia! Pitar!

(Exit ROMEO)

Pitar Dyma fi.

Nyrs Ymlaen, a'r troed gora'n gynta'.

(Exeunt)

GOLYGFA V

Enter JULIET

Juliet

Yr oedd hi'n naw o'r gloch pan aeth y nyrs.
Addawodd y dôi'n ôl 'mhen hanner awr.
Mae'n methu â'i ffeindio, efallai. Ond na, go brin.
O', mae-hi'n hir! Dychymyg 'ddylai fod
Yn gennad serch, – mae ddengwaith yn fwy chwim
Na phelydr haul pan yrront y cysgodion
Yn ôl dros foelydd cuchiog. Hawdd iawn dallt
Mai colomennod cain-adeiniog mwth
Sy'n tynnu cerbyd serch, a pham y rhoed
I Giwpid yntau bâr o adenydd chwim.
Mae'r haul yn awr yn cyrraedd uchaf bwynt
Ei siwrnai; ac o naw hyd ganol dydd
Mae teirawr faith, – a hithau'r nyrs **heb** ddod!
'Tasa-hi'n llawn o serch ac ifanc waed,
Byddai 'i holl symudiadau'n chwyrn fel pêl. –
Fy ngeiriau **i'**n ei lluchio at Romeo,
A'i eiriau yntau yn ei lluchio'n ôl!
Ond rhaid i rai hen bobl gael llusgo'n drwm;
Yn welw, afrosgo, a marwaidd megis plwm.

(Enter NYRS a PITAR)

Hawyr! mae'n dod! Nyrs annwyl, sut y bu?
'Welaist-ti ef? Gyr dy was o'r clyw.

Nyrs

Pitar, saf wrth y porth tu-allan, dro.

(Exit PITAR)

Juliet

'Rŵan, Nyrs annwyl – O'r tad! mor drist dy wedd!
Os prudd y newydd, cais ei draethu'n llon;
Ond os yw'n dda, paid â gwarthruddo'r miwsig
Trwy ganu'r alaw imi â gwedd mor sur.

Nyrs

'Rwyf wedi hen flino. 'Rhoswch dipyn bach.
Wfft i'r hen esgyrn hyn! 'Rwy'n boenau byw!

Juliet

O na allem newid esgyrn! Tyrd â'r newydd.
Yn wir, Nyrs, dirion, tyrd â'r hanes, tyrd!

Nyrs

O, 'rhoswch funud, neno'r tad. Da chwi,
Cysidrwch 'mod-i wedi colli 'ngwynt.

Juliet

Pa golli gwynt, a chennyt stôr o wynt
I ddweud fel yna fod dy wynt ar goll?
Mae'r esgusodi'n hwy na'r chwedl 'rwyt ti
Yn cynnig esgus imi rhag ei dweud.
Ai da ai drwg y newydd? P'un o'r ddau?
Gad heibio'r manion eraill am y tro.
Rho wybod im, p'un ai da ai drwg?

Nyrs

Wel, 'rydych-chi wedi gwneud dewisiad hurt. 'Tydach-chi ddim yn gwybod **sut** i ddewis dyn. Romeo? 'Choelia-i fawr. Er bod 'i wyneb-o yn **well** nag wyneb unrhyw ddyn, ac mae 'i goes–o'n **rhagori** ar goes pob dyn arall. Wel, am law a throed a chorff, -- waeth heb na sôn am y rheiny: ond eto, mae nhw'n ddi-gompâr. 'Tydi-o ddim yn rhosyn cwrteisi; ond mi wranta'-i fod-o'n addfwyn fel oen. Cymer dy ffordd, lances, a dyna ddigon. Gartre y cawsoch-chi ginio?

Juliet

Nac e . . . Ond gwyddwn hyn i gyd o'r blaen.
Beth 'ddwedodd-o am ein priodas? Dyna'r pwnc.

Nyrs

Och! y cur pen sydd gen'-i. A'r fath ben!
Mae fel pe bron â ffrwydro'n yfflon mân.
A 'nghefn-i, wedyn; O, fy nghefn! fy nghefn!
Naw wfft i'ch calon am fy ngyrru ar hynt,
I herio tranc wrth brancio'n ôl a blaen!

Juliet

Ie; mae'n ddrwg iawn gennyf am dy gur.
Nyrs annwyl, beth mae 'nghariad yn ei ddweud?

Nyrs

Mae'ch cariad yn dweud, fel llanc bonheddig, onest, cwrtais, a chlên, a glandeg, – a rhinweddol hefyd mi wranta, – P'le mae'ch mam?

Juliet

P'le mae mam? Wel, rywle yn y tŷ.
B'le arall 'basai? Dyna atebiad ód, –
"Mae'ch cariad, fel boneddwr onest, clên,
Yn gofyn P'le mae'ch mam?"!

Nyrs

Y Nefoedd fawr!
Mor biwus ydach-chi! Rhag c'wilydd, dowch!
Ai dyma'r powltis iawn im hesgyrn brau?
O hyn ymlaen, gwnewch eich negesau'ch hun.

Juliet

O, dyma stremp . . . Dowch, beth am Romeo?

Nyrs 'Ydach-chi'n rhydd i fynd i'r gyffes heddiw?

Juliet Ydwyf.

Nyrs Wel, ewch yn syth i gell y Brawd offeiriad.
Mae gŵr yn disgwyl yno i'ch gwneud yn wraig.
Ha! fel mae gwres eich gwaed yn gwrido'ch gwedd;
Fe dry'n ysgarlad coch pan glywch y cwbl!
Brysiwch i'r eglwys. Rhaid i mi fynd draw
I nôl rhyw ysgol raff, i fyny'r hon
Y dring eich cariad, heno'r nos, i'w nyth!
'Rwy'n hybu'r miri 'mlaen trwy slafio'n ddwys;
Ond toc daw'r nos, cewch chitha' ddal y pwys,
Mae 'nghinio'n galw! Brysiwch i'r capel bach.

Juliet A brysied gwynfyd! Onest nyrs, yn iach!

(Exeunt)

GOLYGFA VI

Enter Y BRAWD LORENS a ROMEO

Y Brawd Boed gwenau'r Nef ar hyn o weithred lân,
Fel na'n tristäer yn y dyddiau i ddod.

Romeo Amen! Ond O, pa dristwch bynnag ddêl,
Ni all orbwyso'r pêr fwynhad a rydd
Un munud, dim ond munud, gyda hon i mi.
Rho di, ŵr Duw, ein dwylo 'nghyd, ac yna
Gwnaed serch-ddistrywiol Dranc ei waethaf brad. –
Os caf ei galw yn eiddof, digon yw.

Y Brawd I bob mwynhad rhy ddwys daw **diwedd** dwys:
Yn awr ei anterth, treing, fel powdr a thân
Sy'n difa wrth ymgusanu. Gall y mêl
Pereiddiaf droi'n or-felys a chreu syrffed,
Gan siomi a drysu'r archwaeth. Tithau'n awr,
Câr yn gymedrol os am gariad maith:
Po fwya'r brys, mwyaf blinderau'r daith.
– Dyma'r briodferch!
(Enter JULIET, yn frysiog. Mae'n cofleidio ROMEO)
O! 'r fath ysgafn droed!
Ni thraul mynorfaen Amser moni byth.
Gall 'cariad' dramwy dros yr edau wawn
A siglir gan awelon oriog haf,
Heb ofni cwymp. Pob gwagedd, ysgafn yw!

Juliet I'm tirion dad-gyffeswr, noswaith dda.

Y Brawd Caiff Romeo roddi diolch it, fy merch,
Yn enw y ddau ohonom.

Juliet Cyfarchaf yntau'n awr,
Rhag bod ei ddiolch weithion yn **rhy** fawr.

(Mae'n cofleidio ROMEO)

Romeo Ah, Juliet, os wyt tithau, fel myfi,
Yn orlawn o lawenydd; ac os cryfach
Dy ddawn ddisgrifio, boed i'th anadl di
Bereiddio'r awyr oll, a chaed dy lais,
Sy'n fiwsig perffaith, draethu'r gwynfyd drud
A gawn o'r cyd-gyfarfod hwn, ein dau.

Juliet

Rhydd ffansi bwys ar brofiad, nid ar iaith.
Am sylwedd, nid am addurn, y mae'i frag.
Tlodion yw'r rhai all gyfrif swm eu gwerth.
Ni fedraf adio i fyny hanner swm
Y cyfoeth mau.

Y Brawd

Dowch; brysiwn at y gwaith.
Cans, gyda'ch cennad, 'rydych ar wahân
Nes cael eich clymu 'nghyd mewn undeb glân.

(Exeunt)

ACT III

GOLYGFA I

Enter MERCŴTIO, BENVOLIO, a'u gweision

Benvolio 'Rŵan, Mercwtio, tyrd; awn adre'n ôl:
Mae'r Cápwleit o amgylch, ac wrth gwrs,
Pes cyfarfyddem, tyfai 'sgarmes rhôm:
Mae'r gwaed yn wyllt ar dywydd poeth fel hyn.

Mercŵtio 'Rwyt ti'n boenus o debyg i'r math o ddyn 'ddaw i mewn i dafarn, gosod ei gleddau'n chwap ar y bwrdd, a dweud:– "Na ato Duw ddod arna-i d'eisiau di," ac yna, dan ddylanwad yr ail beint, yn bygwth gwas y dafarn ag ef, heb fod unrhyw angen am hynny.

Benvolio Ai dyn fel yna ydwyf fi?

Mercŵtio Siŵr iawn: 'rwyt-ti cynddrwg dy dymer â neb yn yr Eidal, cyn hawdded dy gyffroi i wylltio, a chyn hawdded dy wylltio i gyffroi

Benvolio Ond rhaid cael dau –

Mercŵtio 'Choelia-i fawr! Pe ceid **dau** o'r fath, 'fyddai dim **un** toc; byddai'r naill wedi lladd y llall. Tydi! gwarchod pawb, fe gwerylit ti ag unrhyw ddyn a chanddo **un** blewyn chwaneg (neu **un** blewyn llai) yn ei farf na thi. Pe gwelit ddyn yn torri cnau, fe gwerylit ag-ef heb unrhyw esgus ond fod gen'-ti lygaid o liw'r gneuen. Pa lygad ond llygad o'r fath 'fasa'n ceisio'r fath gweryl? Mae dy gorun yn llawn o gweryl fel y mae wy yn llawn o faeth; ac eto, trwy gael ei sgytian wrth ffraeo, aeth dy ben fel wy clonc. Fe gwerylaist â dyn a besychai'n y stryd am ddeffro dy gi oedd yn cysgu yn yr haul. Ac oni chwerylaist â theiliwr am iddo wisgo'i siaced newydd cyn y Pasg, ac â dyn arall am iddo glymu'i 'sgidia **newydd** efo **hen** ruban? A thydi, o bawb, yn rhoi pregeth i mi ar gwerylа!

Benvolio 'Taswn **i** mor chwannog i ffraeo ag wyt **ti**, 'fedrai neb ddisgwyl mwy nag awr a chwarter o hawl simpil ar fy hoedl.

Mercŵtio Yr hawl simpil? Simpil odiaeth!

(Enter TUBOLT ac eraill)

Benvolio Myn fy mhenglog-i, dyma'r Cápwleit yn dŵad.

Mercŵtio Myn fy sawdl, ba waeth? ba waeth?

Tubolt *(Wrth ei gymdeithion)* Glynwch gerllaw, 'rwyf am gael gair â hwy . . . Pnawn da, fon'ddigion. Gair ag un ohonoch.

Mercŵtio Dim ond **un** gair ag **un** ohonom? Cyplwch-o â rhywbeth. Gwnewch-o'n air **ac** yn ergyd.

Tubolt Fe'm caech yn eithaf sgut i wneud hynny, syr, pe rhoech hanner esgus imi.

Mercŵtio Oni allech **gymryd** esgus heb aros am y rhoi?

Tubolt Mercŵtio, 'rwyt ti'n gydymaith Romeo –

Mercŵtio Cydymaith? Cydymaith? Ai ffidleriaid teithiol ydym? Wel, os crwydriaid cerddorol ŷm iti, bydd barod am y discord. Hwn ydi ffon y ffidler. Dyma'r teclyn a bair iti ddawnsio. Myn f'enaid-i, dawns!

Benvolio Ffraeo mewn lle cyhoeddus ydyw hyn;
Gwell fyddai symud i fan breifat draw,
A cheisio ymresymu mewn gwaed oer,
Neu, ymwahanu'n llwyr. Mae llygaid pawb
Yn rhythu arnom yma.

Mercŵtio Pw! beth yw gwaith
Llygaid ond edrych. Caffont rythu 'mlaen!
Ni chiliaf o'r fan yma i blesio neb.

(Enter ROMEO)

Tubolt *(Wrth FERCŴTIO)* Bydd heddwch, syr, i ti. Dyma fy nyn.

Mercŵtio Ond cewch fy nghrogi os dacw'ch lifrai, syr!
Diau, os ewch i'r gad, y daw i'ch dilyn;
A gall eich wrsib, felly, ei alw yn 'ddyn'.

Tubolt Romeo, ni all fy nheimlad atat ti
Dy gyfarch ond fel hyn, – 'Cnaf taeog wyt ti!'

Romeo Tubolt, mae'r rheswm dros dy garu-di
Sydd bellach gennyf, yn f'atal rhag cyffroi

Dan lach y fath gyfarchiad. Cnaf nid wyf.
Felly, ffar-wel. Gwn nad adwaenost-fi.

Tubolt Ddyn bach, 'chaiff hyn ddim cyfiawnhau'r sarhad
A fwriaist arnaf. Tyn dy gledd o'r wain!

Romeo Tubolt, ni wneuthum gam â thi erioed:
Yn hytrach 'rwy'n dy garu-di am reswm
Na elli mo'i ddyfalu ar hyn o bryd.
Atolwg, Cápwlet fwyn, a'r enw hwn
Mor annwyl im ag yw fy enw fy hun, –
Bodloner di.

Mercŵtio O daeog-dawel ymostyngiad gwarthus:
Dyma *alla stoccata* i fynd â hi!
(Mae'n dadweinio'i gledd)
Tubolt, y gath lygota, 'ddoi-di am dro?

Tubolt Beth 'fynnit **ti**, ysgwn-i, gennyf **fi**?

Mercŵtio Fwyn frenin cathod, dim ond un o'th naw bywyd. Dyna yw fy nod yn awr; ac yn y dyfodol, os bydd angen, mi bastynnaf yr wyth gweddill. 'Oes raid iti gael llusgo dy gledd gerfydd ei glustiau? Brysia, rhag i hwn ddod o gwmpas dy glustiau yn rhy fuan.

Tubolt 'Rwy'n barod.

(Dadweinia'i gledd)

Romeo Mercŵtio annwyl, rho dy laif yn ôl.

Mercŵtio Tyr'd syr, y *passado*.

(Ymladdant)

Romeo Benvolio, ceisiwn guro'u harfau i lawr.
Fon'ddigion, rhag cywilydd, ymataliwch!
Tubolt, Mercŵtio, rhoed gorchymyn caeth
Gan y Tywysog nad oes brwydro i fod
Yn strydoedd tre' Verona. Ac felly, 'nawr,
Tubolt, Mercŵtio annwyl, clywch fy nghri!

(Mae cleddyf TUBOLT yn trywannu MERCŴTIO o dan fraich ROMEO)

Un o Ddilynwyr Tubolt . . . Ymaith, Tubolt!

(Exit TUBOLT a'i ddilynwyr)

Mercŵtio Fe'm clwyfwyd . . . Plag arnyn-nhw, ddau dylwyth! . . .
Ach-a-fi! . . . Ydi-o wedi mynd? Heb glwy na dim?

Benvolio Gêst **ti** d'anafu?

Mercŵtio Do; cripiad cath fel tae, ond mae'n hen ddigon.
P'le mae 'ngwas bach? . . . Dos, fachgen, chwilia am feddyg.

(Exit GWAS)

Romeo Tyrd, cod dy galon. Tydi'r clwyf ddim mor ddwfn.

Mercŵtio Na, 'tydi-o ddim cyn ddyfned â phydew, na chyn lleted â drws eglwys; ond mae-o'n llawn digon. Fe wna'r tro. Holwch amdana'-i 'fory ac fe'm cewch i'n 'brudd' os nad yn 'bridd'. 'Rwy'n gorff sydd wedi gorffen â'r byd hwn. Plag arnoch-chi, ddau deulu! Brensiach y bratiau! Ci, cath, llygoden – yn cripio dyn i farwolaeth. Brolgi, a llechgi, sy'n ymladd fel peiriant yn ôl rhif a mesur. Pam andros y daethoch **chi** rhyngom ni! Fe'm brathwyd dan eich braich.

Romeo 'Roedd f 'amcan yn garedig.

Mercŵtio Helpa-fi'n awr, Benvolio, i'r tŷ gerllaw. 'Rwy'n teimlo'n wan. Plag arnyn-nhw, 'r ddau dylwyth! Fe'm gwnaethant yn fwyd pryfed . . . Mae fy nghlwyf yn boenus braidd . . . Wfft i'ch teuluoedd-chi.

(Exit MERCŴTIO gyda BENVOLIO)

Romeo Mae'r gwrda hwn, perthynas i'r Tywysog,
A'm cyfaill cywir, dan angeuol glwyf
O'm plegid i. 'Roedd Tubolt yn sarhau
Fy enw da'n ei glyw, y Tubolt sydd
Ers awr neu ddwy'n berthynas imi. O,
Fy Juliet annwyl, ai dy degwch di
Sy'n troi f 'anianawd mor fenywaidd fwyn,
Nes meddalhau cynhenid ddur fy naws?

(Enter BENVOLIO)

Benvolio Romeo, mae'r dewr Fercŵtio wedi mynd!
Hedodd ei enaid fry, yr ysbryd byw
Oedd mor annhymig ddibris o'r byd hwn!

Romeo Mae gwae mawr wedi cychwyn heddiw'r dydd.
Ei ddwyn i ben, baich dyddiau eraill fydd.

(Enter TUBOLT)

Benvolio O dyma'r brochus Dubolt eto'n ôl.

Romeo Mercŵtio'n farw, a hwn yn hawlio'r dydd!
Bellach aed meddal barch yn ôl i'r Nef.
Boed dicter deifiol yn arweinydd im.
Tubolt, yn awr, os 'taeog' wyf i ti,
Cymer y teitl yn ôl; cans uwch ein pen
Mae enaid glân Mercŵtio y funud hon
Yn aros am gwmpeini. Felly'n ddi-oed
Caed gwmni'r enaid tau, neu'r mau, neu'r ddau.

Tubolt Cei di, was bach, – ei bartner ar y llawr, –
Fynd ato fry,

Romeo Caiff hwn derfynu'r ddadl!

(Ymladdant. Syrth TUBOLT i lawr yn farw)

Benvolio Romeo, i ffwrdd â thi!
Mae'r dyrfa'n dod, a Thubolt wedi'i ladd.
Marwolaeth fydd y gosb os dygir-di
Gerbron y T'wysog. Paid â phendroni! Dos!

Romeo Och! ffwl tynghedfen wyf!

Benvolio Pam 'rwyt-ti'n oedi?

(Exit ROMEO)

(Enter Dineswyr)

Dinesydd Yn awr, pa ffordd yr aeth y llofrudd hwn, –
Y Tubolt gwyllt, sydd wedi lladd Mercŵtio?

Benvolio Tubolt sy'n gorwedd draw.

Dinesydd Wel, syr, dowch gyda mi:
Yn enw'r T'wysog, brysiwch, ufuddhewch.

(Enter y TYWYSOG, MÓNTAGIW, CÁPWLET, eu gwragedd a'r cwbl)

Y Tywysog Pwy oedd awduron mall yr helynt hwn?

Benvolio F 'arglwydd Dywysog, gallaf fi'n ddi-oed
Egluro trychinebus hynt y ffrae. Fan draw
Mae corff y dyn a laddwyd gynnau fach

Gan y llanc Romeo, oherwydd iddo ladd
Mercŵtio ddewr, un o'ch perth'nasau chwi.

Yr Arglwyddes C Tubolt, perthynas im, plentyn fy mrawd!
Fy nai, och fi, yn gorwedd yn ei waed!
Dywysog, tywallt, – os wyt gyfiawn di –
Waed Móntagiw yn awr yn lle'n gwaed **ni.**
Och, f'annwyl nai!

Y Tywysog Benvolio, pwy 'roes fod i'r 'sgarmes hon?

Benvolio Tubolt ei hun. Bu'n rhaid i Romeo'i ladd.
Ymbiliodd Romeo ag ef, a dadlu'n daer,
Yn erbyn torri'r ddeddf, na gwneuthur dim
I ddigio eich Mawrhydi. Llefarai'n fwyn;
Gan blygu i lawr yn foneddigaidd; ond
'Doedd dim yn tycio. Mynnodd Tubolt droi
Ei gleddyf llym at fron Mercŵtio ddewr;
Ac ymatebodd yntau gyda gwawd,
Gan wthio tranc o'r neilltu â'i law chwith
A'i hyrddio'n ôl at Dubolt â'i law dde.
'Roedd yr ymladdfa'n fedrus. Gwaeddodd Romeo:
"Pwyll, ffrindiau: peidiwch," ac â'i fraich 'run pryd,
Mae'n curo'u gleifiau i lawr, a rhuthro i mewn
Cyd-rhwng y ddau. Ond, dan fraich Romeo,
Cyrhaeddodd Tubolt gorff Mercŵtio ddewr
 marwol glwyf, ac wedyn ffoi. Ond toc
Daeth yn ei ôl drachefn at Romeo –
Yr hwn oedd bellach yn llawn dial dwys.
A dyna-hi'n ymladdfa wyllt; a chyn i mi
Gael rhuthro rhyngddynt i'w gwahanu hwynt,
'Roedd Tubolt wyllt yn farw. Yntau Romeo
Pan welodd hynny, a ffoes. Atebais chwi;
Ac os dywedais gelwydd, lladder fi.

Yr Arglwyddes C Mae hwn yn aelod o lwyth Móntagiw,
Ac ni all draethu'r gwir. Rhagfarnllyd yw.
'Roedd yn y 'sgarmes hon ryw ugain dyn,
A'r ugain hyn ni allent ladd ond un.
Gwnewch chwithau'n awr, Dywysog, iawnder golau.
Os lladdodd Romeo Dubolt, lladder yntau.

Y Tywysog 'Roedd Tubolt wedi lladd Mercŵtio:
Pwy sydd i dalu pris ei hoedl efo?

Móntagiw Nid Romeo, Dywysog: ef yn wir
Oedd ffrind Mercŵtio. Rhoes glo, mae'n glir,
Ar bwnc y byddai'r ddeddf dan raid i'w gloi,
Sef einioes Tubolt.

Y Tywysog Minnau, yn enw'r dref,
Am hynny, y funud hon, alltudiaf ef.
I mi daeth ing personol trwy'r ymgecru;
Ar ôl eich brwydro brwnt 'rwyf innau'n gwaedu.
Fe'ch dysgaf toc i lwyr edifar-hau,
Trwy ddirwy drom am feiddio fy sarhau.
Gwrthodaf wrando ar eich aml esgusion:
Ni thycia dagrau na gweddïau weithion.
Aed Romeo i ffwrdd ar frys, cans onid e,
Fe'i dienyddir yn y fan a'r lle.
Cludwch y corff hwn ymaith. Clywch fy ngeiriau!
Cefnogwyr lleiddiaid, lleiddiaid ydynt hwythau.

(Exeunt)

GOLYGFA II

Enter JULIET, ar ei phen ei hun.

Juliet Brysiwch, carlamwch, drydan-droediog feirch,
Am lety Phoebws draw. Doed Phaëton
I'ch chwipio parth ag yno, a dwyn i mewn
Dywyllwch nos ar unwaith. Tithau'n awr,
Serch-gynorthwyol nos, taen dy len gêl
Dros anghyfleus olygon, a chaed Romeo,
Heb neb yn gweld na chlywed, ag un llam
Ddod rhwng fy mreichiau. Gall cariadon drin
Defodau serch trwy gymorth golau glân
Corfforol degwch; neu, os dall yw Serch,
Mae nos yn addas iddo. O tyred, nos,
Fel mamaeth yn ei mantell ddifalch ddu,
A dysg im sut i golli, heb golli chwaith,
Mewn cystadleuaeth rhwng di-halog bâr
O wyryf-dodau. Tyrd, gostega'r gwaed
Di-ddyn-adnabod sydd yn gyffro byw
O dan fy ngruddiau. Gad i'th fantell fwyn
Roi siawns i'm swildod, ar ôl tyfu'n bowld,
Gael sicrwydd fod gweithrediad cariad gwir
Yn troi'n wyleidd-dra syml. O tyred, nos,
A thyred, Romeo, dydd yn y nos wyt im.
Gwynnach, yn gorwedd ar adenydd nos,
Nag eira ar gefn y gigfran, fyddi di.
Tyrd, dyner nos. Tyrd, serchog aelddu nos:
O, moes fy Romeo i mi. A phan fo farw,
Cei 'i gymryd-o a'i dorri'n fyrdd o sêr!
Ac yna bydd wynepryd nef mor gain –
Fe syrth y byd mewn cariad hefo'r nos,
Heb fedru addoli'r coegwych haul byth mwy.
Och fi! 'rwyf wedi prynu plasdy serch,
Ond heb gael meddiant arno. Gwerthwyd finnau,
Ond ni'm meddiannwyd eto. Mae'r dydd hwn
Mor ara' deg a noson cyn dydd gŵyl
I blentyn diamynedd sy'n dyheu
Am wisgo'i ddillad newydd.
(Enter y NYRS, gan blethu dwylo'n winglyd iawn ynghyd, a'r ysgol gortyn yn ei hafflau)
Dyma'r Nyrs!
Mae'n dwyn newyddion. Mor nefolaidd ffraeth
Yw pawb all ddigwydd enwi Romeo!

'Nawr, Nyrs, pa newydd? Beth, ai dyma'r cyrt
Y siarsiodd Romeo di i'w nhôl?

Nyrs Ie'n wir,
Y cyrt!

(Teifl hwy ar y llawr)

Juliet Ond, nyrs, pa newydd? Dwêd paham
Yr wyt yn plethu dwylo fel'na?

Nyrs Gwae nyni!
Mae-o wedi marw, wedi marw, wedi marw!
F 'arglwyddes bach, beth ddaw ohonom-ni?
Och! ddiwrnod! Lladdwyd-o! Bu farw!

Juliet Yw'r Nefoedd mor faleisus?

Nyrs Nid y Nef,
Ond Romeo! Ie, Romeo, Romeo.
Pwy fyth fuasai'n meddwl? Romeo!

Juliet Pa ddiafol wyt, i'm drysu â'r fath loes?
Dirboen i'w ruo yn uffern ydyw hwn!
A ydyw Romeo wedi ei ladd ei hun?
Os do, – mae mwy o wenwyn yn y gair
Nag sydd o frad yn llygad cochatris.
Nid 'fi' wyf 'fi', os 'Do' yw'r ateb tau;
'Do' ydyw, os yw'r llygaid wedi cau;
Os lladdwyd-o, dwed 'Do'; os naddo, 'Na';
Yr ateb byr, cyhoeddi nhynged wna.

Nyrs 'Rwyf wedi gweld y clwyf â'r llygaid hyn;
Do, a Duw'n dyst, fan yma, ar ei fron.
Y truan gorff, y truan gorff a'r gwaed:
Ei wedd yn welw a llwyd, yn waed i gyd;
Yn drwch o waed: llesmeiriais yn y fan.

Juliet O, galon, tor! Feth-dalydd druan, tor!
I'r carchar, lygaid. Pa les rhyddid im?
I'r pridd, wael bridd, yn ddi-ymadferth mwy:
Un elor drom wna'r tro i Romeo a thi.

Nyrs O, Tubolt, Tubolt, ffrind go dda oedd o;
Y Tubolt cwrtais, boneddigaidd, clên.
Ie, gwae fi, – Tubolt yn farw a finnau'n fyw.

Juliet Pa storom o groes-wyntoedd ydyw hon?
A laddwyd dau ohonynt? Romeo **a** Thubolt?
Fy nghefnder; a'm Hiôr anwylach fyth?
Utgorn y Farn, os felly, bloeddia'n awr;
Cans pwy sy fyw, os marw y ddeuddyn hyn?

Nyrs Mae Tubolt wedi'i ladd; mae Romeo'n alltud:
Yn alltud am ladd Tubolt, gwaetha'r modd.

Juliet Dduw'r Nefoedd! Romeo'n llofrudd Tubolt?

Nyrs Ie, ysywaeth; dyna'r cyfiawn wir.

Juliet O, galon sarff dan flodau hardd ynghêl!
'Fu draig erioed mewn tecach ogo'n byw?
Y teirant prydferth; angylaidd fab y Fall;
Gigfran-golomen; wancus-fleiddiog oen!
Llwyr groes i'r dyb uniongred am dy naws, –
Cnaf anrhydeddus, melltigedig sant!
O, Natur, beth a'th gorddai yn uffern gynt
Pan ddodit ysbryd ellyll fel efo
Mewn gwisg o gnawd mor baradwysaidd bêr?
Paham y rhoddwyd clawr mor hardd â hyn
I lyfr mor ffiaidd? Och! rhoi brad i fyw
Mewn plasdy mor ysblennydd.

Nyrs 'Does dim **gwir**
Na gwerth mewn dynion, na dim crefydd chwaith:
Mae'r cwbl yn llawn o ragrith, ffug a thwyll.
P'le mae fy ngwas? . . . Tyr'd â'r brandi i mi.
Doed gwarth i Romeo!

Juliet Doed ysol haint
I'ch tafod chwi! Ni aned Romeo i warth.
Ni feiddiai gwarth byth eistedd ar ei dâl,
Cans gorsedd yw, lle trig anrhydedd bur
O dan ei choron byth, yn unig deyrn
Yr holl gyfanfyd. O'r fath fwystfil oeddwn
I'w feio a'i gondemnio!

Nyrs Ond beth yw hyn?
Canmol y sawl sy wedi lladd eich cefnder?

Juliet A ddwedaf ddrygair am fy ngŵr fy hun?
Iôr annwyl, pwy all drwsio d'enw, a mi,

Dy briod teirawr, wedi ei larpio'n llwyr?
Ond, filain, pam y lleddaist-ti fy nghefnder?
Yr oedd y bilain hwnnw am ladd fy ngŵr!
Yn ôl, yn ôl i'ch tarddell, ddagrau ffol,
I wae y perthyn eich cyfraniad llaith,
Nid i lawenydd, fel y tybiech. Na;
Bwriadai Tubolt ladd fy ngŵr, ond methodd.
Fe laddwyd Tubolt, ond mae ngŵr yn fyw.
Cysur yw hyn; pam ynteu yr wylaf i?
'Roedd gair, un gair, mil gwaeth nag angau Tubolt,
A'm lladdodd innau. Och, nad ai'r gair o'm cof.
Ond O, mae'n gwasgu ar fy meddwl byth,
Fel baich euogrwydd ar gydwybod ddrwg.
Tubolt yn farw, a Romeo, – Romeo'n **alltud**!
Mae'r **un** gair 'alltud' yna wedi lladd
Nid un ond deng mil Tubolt. Gwae rhy fawr
Oedd angau Tubolt heb greu **mwy** o wae;
Neu, os yw gwae mor awchus hoff o gwmni
Nes tynnu gwaeau eraill ato'n rheng,
Paham y d'wedodd-hi, – "Bu farw Tubolt,"
Heb ychwanegu "a'th dad," neu'n wir "a'th fam",
Neu'r ddau, i beri'r gwae arferol?
Ond na, yn sgîl tranc Tubolt dyma a ddaeth, –
"Alltudiwyd Romeo"! Ac yn sŵn y gair,
Mae mam a nhad, a Thubolt, Romeo a Juliet,
Yn feirwon bob yr un. "Alltudiwyd Romeo"!
Nid oes ben-draw i dranc y cyfryw air,
Ac ni all iaith byth bythoedd draethu'r loes, –
Atolwg, Nyrs, p'le mae fy nhad a'm mam?

Nyrs Yn wylo uwchben gweddillion Tubolt draw;
Ac, os dymunwch, fe'ch arweiniaf atynt.

Juliet Caent hwy, â dagrau, olchi ei glwyfau o;
Pan sycho eu dagrau. Wylaf innau dro
Am Romeo'r alltud. Cod y rhaffau, Nyrs.
Druan ohonoch, gyrt; fe'ch twyllwyd chwi.
Mae Romeo'n alltud, ac fe'n siomwyd ni.
Fe'ch gwnaeth i fod yn briffordd at fy ngwely;
'Rwyf innau i farw yn wyry', yn weddw-wyry'.
Tryd, Nyrs; dowch, gyrt. Rhwydd hynt i'r Angau hy
Ddwyn fy morwyndod yn lle Romeo gu!

Nyrs Dos di i'th siambr. Archaf i Romeo ddod
Ar unwaith i'th gysuro. Mi wn p'le mae.

Yng nghwrs y nos, cred fi, daw Romeo i'th weld:
Mae'n llechu yn nhŷ'r Brawd Lorens. Af i'w nôl.

Juliet

O, Nyrs, Rho'r fodrwy hon i'm harglwydd triw;
Arch iddo ddod, i ddweud ffar-wel am byth.

(Exit JULIET gyda'r NYRS)

GOLYGFA III

Yng nghell y Brawd Lorens.

(*Enter* LORENS)

Y Brawd Tyr'd yma, Romeo: tyrd, bryderus un.
Ymserchodd Gofid yn dy ddoniau di,
A dyweddiedig i drychineb wyt.

Romeo Athro, ba newydd? Dywed im, pa beth
Oedd dedfryd y Tywysog? Pa ryw boen
Anhysbys im sy'n 'mofyn am fy llaw?

Y Brawd Er mor gynefin eisoes wyt, fy mab,
Â'r fath gwmpeini chwerw, newydd drwg
Sydd gennyf it, sef dedfryd y Tywysog.

Romeo Faint llai yw hi na dedfryd Dydd y Farn?

Y Brawd Barn dyner oedd y farn a roes efo:
Yn lle marwolaeth, daw alltudiaeth it.

Romeo Alltudiaeth! Dywed 'angau'! Trugarha!
Mae trem Alltudiaeth yn fwy erchyll im
Na threm yr Angau. Paid â dweud 'Alltudiaeth'.

Y Brawd Yr wyt yn alltudiedig o'r dref hon;
Ac felly, – amynedd. Mawr yw maint y byd.

Romeo Tu-allan i Verona, beth yw'r byd?
Ond purdan, gwae, ac uffern erch ei hun.
Alltudier-fi oddi yma ac alltud fyddaf
O'r byd i gyd; ac ni fydd hynny ond tranc.
Beth yw 'alltudiaeth' ond ffugenw ar 'dranc'?
Fy nhorfynyglu'r wyt â bwyell aur,
A gwenu uwchben yr ergyd sy'n fy lladd.

Y Brawd O, bechod marwol! anniolchgarwch hy!
Tranc fyddai'r gosb yn ôl ein cyfraith. Ond
Mae'r T'wysog mwyn o'th blaid; mae'n gwthio'r ddeddf
O'r neilltu, megis, ac yn troi'i gair du
'Marwolaeth' yn 'alltudiaeth'. Trugaredd yw:
'Rwyt tithau'n ddall: nid wyt yn gweld y gwir.

Romeo Creulondeb, nid trugaredd! Y mae'r Nef
Fan yma, lle trig Juliet. Gall pob ci,
Cath a llygoden, pob creadur salw,
Fyw'n y nef hon, ac edrych arni hi;
Ond **ni all** Romeo. Na, mae mwy o werth
Ac anrhydeddus fraint yn byw a bod
Mewn brwnt wybetach nag yn Romeo!
Cânt hwy ymhél â channaid wyrth ei llaw,
A chipio anfarwol fendith mêl ei min, –
Dwy wefus lân, forwynol, sydd mor swil
Nes gwrido'n ddwys wrth ymgusanu 'nghyd,
Rhag ofn bod hynny'n bechod. Gwych yw ffawd
Y gwybed gwael; ond rhaid i Romeo ffoi.
'Wyt tithau'n dal i daeru nad marwolaeth
Yw bod yn alltud? Caiff y gwybed fyw;
Ond ni chaiff Romeo oroesi! Alltud yw.
Caiff gwybed aros: bodau rhydd ynt hwy;
Ond ffoi sydd raid i mi; 'rwy'n alltud mwy!
Onid oes gennyt-ti ryw wenwyn parod,
Rhyw gyllell lem, rhyw sydyn foddion tranc,
Heblaw'r gair 'alltud' hwn, i'm lladd? O, Frawd!
Gair mawr holl ddamnedigion uffern yw.
Mae udo heb baid lle bo! Och fi, eglura,
A thi'n ŵr Duw, cyffeswr, meichiau mwyn,
Sy'n gyfaill im, paham y mynni **di**
Fy rhwygo'n yfflon â'r gair 'alltud' hwn?

Y Brawd Ŵr ifanc gorffwyll, gwrando ennyd fach.

Romeo Dy siarad am 'alltudiaeth' eto fyth?

Y Brawd Mi rof arfogaeth it a'i ceidw i ffwrdd, –
Diod felysaf gwae, philosoffi,
A deunydd cysur mewn alltudiaeth it.

Romeo 'Alltudiaeth' eto! Ond pa philosoffi
A ddichon fyth gynhyrchu Juliet im,
Traws-blannu tref, troi ferdyd prins o chwith?
Dim un! Dim un! O, paid â thraethu mwy!

Y Brawd Felly, mae dynion gwallgo'n llwyr ddi-glyw.

Romeo Pa ryfedd, pan fo doethion mor ddi-weld?

Y Brawd Tyrd; gad im drafod y sefyllfa â thi.

Romeo Ni elli drafod gwae na theimli mono.
Pe baut cyn ienged â myfi, a Juliet
Yn gariad it, yn briod ers rhyw awr,
Tybolt yn llofruddiedig, – tithau'n llanc
A'i serch ar dân, fel finnau, ac yn alltud,
Yna, fe ellit siarad, rhwygo'r gwallt
Oddi ar dy ben, a syrthio i'r llawr fel hyn,
I ffeindio mesur anghloddiedig fedd.

(Sŵn curo)

Y Brawd Sŵn curo. Cyfod. Romeo, dos, ymgûdd!

Romeo Na; ni chaiff dim ond niwl gruddfannau 'mron
Fy nghuddio mwyach rhag cywreinrwydd byd.

(Sŵn curo drachefn)

Y Brawd Mae'r curo'n daer! (Pwy sy 'na?) Romeo, cod!
Fe'th ddaliant! ('Rhoswch funud!) Atolwg, saf!
(Curo)
Dos, rhed i'm llyfrgell. (Ennyd fach!) Dduw'r Nef,
Pa chwarae plant yw hyn? ('Rwy'n dod! 'Rwy'n dod!)
(Curo)
Pwy sydd mor daer? Beth sy'n eich blino-chi?

Y Nyrs *(O'r golwg)* Agorwch im. Caf ddweud fy neges wedyn
F 'Arglwyddes Juliet a'm hanfonodd i.

Y Brawd Mae croeso calon it.

(Enter y NYRS)

Y Nyrs O, dduwiol frawd,
Pa le mae Arglwydd fy Arglwyddes? Dwêd!
Pa le mae Romeo?

Y Brawd Yn feddw, ysywaeth, ar ei ddagrau'i hun.

Y Nyrs O, mae-o'n union fel fy meistres draw.
'N union 'r un fath. O, dristwch dyblyg, dwys!
O, dorcalonnus boen! Fel hyn mae hitha':
Yn wylo, yn crio; yn crio, yn wylo.
'Rŵan, saf ar dy draed, os wyt-ti'n ddyn:
Tyrd, er mwyn Juliet, cod i fyny a saf.
Pa ddiben llithro i'r fath ddi-waelod wae?

(Mae Romeo yn codi)

Romeo Nyrs –

Y Nyrs Ah, syr! Ah, syr! Marw yw diwedd pawb.

Romeo Ai sôn yr wyt am Juliet? Sut mae **hi**?
Onid hen lofrudd ydwyf iddi'n awr,
A minnau wedi staenio ein gwynfyd ifanc
Â gwaed mor agos at ei gwaed ei hun?
P'le mae-hi? Sut y mae? A beth yw barn
F'arglwyddes gudd am ein rhwystredig serch?

Y Nyrs O, nid yw'n dweud dim byd, ond wylo y mae;
Gorwedd, a chodi o'i gwely, bob yn ail.
Mae'n gweiddi am Dubolt, yna am Romeo;
A syrthio i lawr drachefn.

Romeo Fel petai f'enw
Yn ergyd syth o farwol ffroen y dryll
I'w mwrdro hithau, gan i'm damniol law
Lofruddio'i chefnder. O, Frawd tirion, dwêd,
Pa ffiaidd ran o'm cyfansoddiad hwn
Yw trigle f'enw? Dwêd, cans rhaid i mi
Ddistrywio'i loches!

(Ac yntau ar fedr ei stabio'i hun, mae'r NYRS yn cipio'r ddagr oddi arno)

Y Brawd Atal dy ddesprad law.
Ai **dyn** wyt ti? Dwêd dy ffurf mai e.
Merchetaidd yw dy ddagrau; ar bob act
O'r eiddot y mae nod y bwystfil hurt.
Aflawen fenyw mewn golygus ddyn,
Neu fath o fwystfil yn cyfuno'r ddau!
'R wy'n synnu atat. Ar fy santaidd lw,
Tybiaswn fod gwell naws i'th dymer di.
Lladd Tubolt gynnau? Ac a fynni yn awr
Dy ladd dy hun? A lladd d'arglwyddes lân,
Sy'n byw ei bywyd yn dy fywyd di,
Trwy wneuthur niwed erch i ti dy hun?
Pam y melltithiaist d'eni, a'r Nef, a'r ddaear?
Onid yw'r Nef, y ddaer a'r geni, y tri
Ynot yn cwrdd ynghyd, a thithau'n awr
Yn chwennych colli'r tri, a'u colli'n un?
Ffei! Ffei! Sarhad i'th lun, a'th serch a'th bwyll
Yw mynnu, fel usuriwr, gamddefnyddio
Dy stôr di-brin o ddoniau, sydd i fod
Yn addurn teg i'th lun, a'th serch, a'th bwyll.
Nid yw dy lun urddasol namyn cŵyr

Os caiff weithredu'n groes i ddewrder dyn.
Anudon gwag yw'r serch a dyngaist ti
Os lleddi'r serch y tyngaist i'w fawrhau.
Dy bwyll, priodol addurn serch a llun,
Os camddefnyddi'r rheiny, dybryd yw:
Mae'n ffrwydro, megis powdr yn fflasg y milwr,
Oherwydd d'annisgyblaeth di dy hun,
I'th rwygo yn lle d'amddiffyn. Ac yn awr,
Ymysgwyd, ddyn – mae Juliet eto'n fyw,
Yr hon y trengit gynnau er ei mwyn.
Wyt ffodus di: 'roedd Tubolt am dy ladd,
Ond ti a'i lleddaist ef; 'R oedd hynny'n ffodus.
Mae'r ddeddf, yn lle dy ladd, yn ffrind i ti:
Troes angau yn alltudiaeth: 'rwyt yn ffodus.
Disgyn bendithion ar dy gefn yn haid:
Mynn Gobaith, yn ei ddillad gorau'n awr,
Dy 'ganlyn' di, ond fel rhyw lances wyllt,
Surbychaidd, yr wyt tithau'n digio'n bwt
Wrth ffawd ac wrth dy gariad. Tyrd, ymbwylla!
Truenus dranc sy'n aros pawb o'r fath.
Dos, cais d'anwylyd, fel y trefn'soch ddoe:
Dring i'w hystafell: dos, cysura hi;
Ond paid ag oedi munud dros yr awr
Y cae-ir pyrth Verona, canys wedyn
Ni ellit gilio'n rhydd i Fántiwâ,
Lle byddi'n byw hyd oni ddarffo i ni
Gael amser i gyhoeddi eich priodas,
Cael pardwn y Tywysog, meithrin hedd
Rhwng eich cyfeillion oll, a chyn bo hir
Dy alw yn ôl ag elwch canmil mwy
Na thristwch dy fynd ymaith. 'Rŵan, Nyrs,
Brysia; rho 'nghofion cynnes i'th arglwyddes,
A dywed wrthi am hwylio pawb i'w gwlâu:
(Prin y petrusant yn eu galar blin) –
Mae Romeo'n dyfod.

Y Nyrs Frawd annwyl, medrwn wrando 'mlaen drwy'r nos,
Ar d'eiriau gwerthfawr. Dyna beth yw dysg!
F'arglwydd, mi dd'wedaf wrth f'arglwyddes, toc,
Eich bod yn dyfod.

Romeo Purion, nyrs; ac erchwch
I'm duwies ymbartoi i ddweud y drefn.

(Y NYRS yn cychwyn ymaith, ac yn troi'n ôl drachefn)

Y Nyrs Syr, archodd im roi'r fodrwy hon i chwi.
Ewch, brysiwch chwithau; eisoes mae'n hwyrhau.

(Exit NYRS)

Romeo O! gymaint hwb i'r galon ydyw hon!

Y Brawd Ewch, a nos-dawch; a dyma swm eich siawns:
Rhaid gado'r dref cyn bod y pyrth ynghau,
Neu ynteu, wedi ymddieithrio'n llwyr,
Fan bellaf, gyda'r wawr. O hyn ymlaen,
Trigwch ym Mántiwâ; caf help eich gwas
I roi gwybodaeth ichwi o bryd i bryd
Am bob peth yn eich ffafr a ddigwydd yma.
Rho im dy law: mae'n hwyr; ffar-wel; nos dawch.

Romeo Pe na bai galwad gwynfyd serch mor daer,
Poen fai ymado â thi mor swta â hyn.
Ffar-wel.

(Exeunt)

GOLYGFA IV

Enter yr henwr CÁPWLET a'i wraig, a PHARIS.

Cápwlet Bu'r hynt a'r helynt, syr, mor groes i'r graen,
Ni chawsom gyfle i ymresymu â'n merch.
'Roedd Juliet, syr, fel finnau, yn hoffi Tubolt,
Ond och! – i farw rywdro y ganed-ni.
Mae'n hwyr iawn heno. 'Ddaw-hi ddim i lawr;
Ac oni bai, syr am eich cwmni chwi,
Buaswn innau yn fy ngwely ers tro.

Paris Yn amser gwae, nid gwiw fai sôn am serch:
Madam, nos dawch; a'm cofion at eich merch.

'R Arglwyddes C Nos dawch: caf air â hi ben bore 'fory.
Ar hyn o bryd mae'n gaeth i'w gofid dwys.

(Mae PARIS yn cychwyn ymaith, ond geilw CÁPWLET arno drachefn)

Cápwlet Syr Paris, gallaf fentro rhoi fy ngair
Dros Juliet. 'Rwy'n tybio y gwna bob peth
A archaf iddi. Yn wir, 'rwy'n sicr y gwna.
Fy mhriod, ewch i'w gweld cyn mynd i'ch gwely.
Dywedwch wrthi am draserch Paris fwyn:
Yna, – ddydd Mercher nesaf, – 'glywsoch-chi? –
Ond na, – pa ddydd yw heddiw?

Paris Dydd Llun, syr.

Cápwlet Dydd Llun: ha! Mae dydd Mercher wrth y drws.
Rhowch wybod iddi y priodir-hi ddydd Iau, –
Ie, dydd Iau, â'r Iarll bonheddig hwn.
(Wrth BARIS) Ond beth amdanoch chwi? A ydyw'r brys
Yn rhyngu eich bodd,syr? Ni bydd fawr o stŵr;
Dim ond rhyw ffrind neu ddau, cans onid e,
(A Thubolt mor ddiweddar wedi'i ladd),
Fe ellid tybio mai rhy brin ein parch
I'w goffadwriaeth. Felly, rhyw chwech o ffrindiau:
Dim mwy na chwech. A wna dydd Iau eich tro?

Paris Gwyn fyd na fyddai'n ddydd Iau 'fory, syr!

Cápwlet Dydd Iau amdani, felly; a ffwrdd â chwi.
(Wrth ei wraig) Ewch chwithau yn ddi-oed at Juliet,

A throwch ei meddwl at y pwysig ddydd.
F'arglwydd, ffar-wel! – Golau i'm 'stafell, ho!
Ymlaen, mae'n hwyr; mae'n wirioneddol hwyr;
Byddis yn taeru, toc, mai cynnar yw.
Nos dawch!

(Exeunt)

GOLYGFA V

Enter ROMEO a JULIET, ger y ffenestr fry.

Juliet
'Oes raid it fynd? Nid yw-hi eto'n ddydd.
Llais eos, nid llais hedydd, oedd yn treiddio
I'th glyw pryderus. Mae hi'n arllwys cân
Bob nos o blith y pomgranadau draw.
Ie, 'r eos ydoedd, f 'annwyl, coelia fi.

Romeo
Yr 'hedydd, cennad bore wawr, a glywem
Ac nid yr eos. Gwêl, f 'anwylyd, gwêl
Y pelydr sbeitlyd yn y dwyrain pell
Sy'n trwsio'r cymyl ag ymylwaith aur –
A nhw mor drist yn ymwahanu draw.
Diffydd canhwyllau'r nos, a dacw'r dydd
Yn rhodio'r bannau llwyd ar flaenau'i draed.
Mae'n rhaid im fynd, neu aros yma i farw.

Juliet
Nid golau'r dydd mo 'nacw, yn siŵr i ti;
Yr haul sy'n anfon pelen wib ymlaen
I wasanaethu fel tors-gludydd it
Tra byddi'n teithio parth â Mántiwâ;
Ac felly, oeda: nid oes **raid** it fynd.

Romeo
Wel, caed y gelyn ddyfod: lladder fi.
'Rwy'n fodlon, os dymuni. Dwêd y gair.
Mi haeraf nad y wawr sy'n torri draw;
Adlewych wyneb cannaid Cynthia yw;
A nodau cain yr eos, nid yr hedydd,
Sy'n chwiban uwch ein pen, rhwng distiau'r nef.
Cryfach fy chwant i ymdroi na'm nerth i fynd.
Farwolaeth, tyrd â chroeso, – trwy fodd Juliet. –
F 'enaid sut 'r wyt? Siaradwn; nid yw'n ddydd.

Juliet
Ond mae-hi, mae-hi! Brysia, dos ymâd!
Hedydd sydd wrthi, a'i lais mor bell o diwn,
Mor gryg, mor gras, yn straenio'r nodau fry.
Gall hedydd, meddir, wahan-nodi'n **bêr;**
Ond gorchest hwn yw 'ysgar' rhyngom ni.
Bydd ef â'r llyffant du, mi glywais ddweud,
Yn ffeirio llygaid. Och, ar hyn o bryd,
Mi garwn pe bai'r ddau yn newid llais!
Mae llais yr hedydd yn fy nychryn i:
Yn llwyr o'm breichiau mae'n dy rwygo di.

Fel utgorn heliwr a fo'n deffro'r wawr,
Y mae'n dy wysio i ffwrdd ymhell yn awr!
Dos, felly, dos, – cans dal i ddyddio mae;

Romeo A'r golau yn tywyllu nos ein gwae.

(Enter y NYRS yn frysiog)

Y Nyrs Madam!

Juliet Nyrs!

Y Nyrs Y mae f'arglwyddes, eich mam, yn dod i'ch gweld. Mae'r dydd yn gwawrio. Bwriwch drem o gwmpas. Gwyliwch.

(Exit. Mae JULIET yn bolltio'r drws)

Juliet Wel, ffenestr, agor. Gollwng ddydd i mewn,
A gollwng f'einioes allan.

Romeo Ffar-wel, ffar-wel, – **un** cusan, ac mi af.

(ROMEO yn mynd i lawr)

Juliet Aethost ti, f'enaid, f'arglwydd, f'annwyl briod?
Clyw: rhaid i mi, bob diwrnod yn yr awr,
Gael clywed oddi wrthyt, canys trig
Diwrnodiau lawer ymhob munud fach.
Ac O! gwae fi, rhaid treulio blwyddi maith
Cyn y caf weld fy Romeo mwy.

Romeo *(O'r berllan)* . . . Ffar-wel.
Ac ni chaiff cyfle basio heb i mi
Gyfeirio 'nghofion, f'enaid, atat ti.

Juliet O! 'sgwn-i, gawn-ni gwrdd drachefn ryw dro?

Romeo 'Rwy'n sicr y cawn, ac wedyn lawer sgwrs
Felys, wrth gofio'r holl flinderau hyn.

Juliet O Dduw, mae daroganllyd feddwl im!
A thi mor bell i lawr, 'rwyf fel pe'n edrych
Ar wyneb rhywun marw yng ngwaelod bedd,
Cans gwelw, braidd, wyt yn awr i'm llygaid **i.**

Romeo I'm llygaid innau, f'annwyl, gwelw wyt **ti**:
Tristwch sy'n lleibio'n gwaed. Ffar-wel; ffar-wel.

(Exit ROMEO)

Juliet Och, dyngedfennol Ffawd! Yn ôl a glywais,
Un oriog wyt. Os felly, dwêd yn awr
Beth sydd a wnelot ti â charwr triw,
Dihafal driw? Bydd oriog eto, Ffawd:
A'm gobaith yw na chedwi mono'n hir
Heb ei ddychwelyd im.

'R Arglwyddes C *(Tu allan i'r drws)* Ho, ferch, a godaist ti?

Juliet *(yn tynnu'r ysgol i fyny, ac yn ei chuddio)*
A phwy sy'n galw? F 'arglwyddes fam yw hi
Ai oedi'n hir ai codi'n gynnar 'wnaeth?
Pa reswm croes i arfer a'i dwg yma?

(Mae'n datgloi'r drws)

(Enter YR ARGLWYDDES C.)

'R Arglwyddes C Juliet, beth sydd?

Juliet Nid wyf yn teimlo'n dda.

'R Arglwyddes C Ai dal i wylo yr wyt am farw Tubolt,
A thywallt dagrau i'w gael yn ôl o'i fedd?
Wel, hyd yn oed pe llwyddit yn dy gais,
Ni ellit byth ei gael yn ôl yn **fyw**.
Mae gor-ofidio'n arwydd prinder pwyll.

Juliet Ond gedwch imi wylo colled brudd.

'R Arglwyddes C Ie, teimlo'r golled ac **anghofio**'r ffrind
Yr wyli amdano.

Juliet Wrth deimlo 'ngholled fawr
Ni allaf lai nag wylo a chofio'r ffrind.

'R Arglwyddes C Wrth gwrs, nid tranc dy gâr a bair it boen,
Ond fod y cnaf a'i lladdodd eto'n fyw.

Juliet Pa gnaf, atolwg?

'R Arglwyddes C Pwy ond Romeo?

Juliet *(O'r neilltu)* Pell, madam, pell yw ef o fod yn gnaf.
(yn uchel) Caed bardwn Duw: eisoes fe gadd yr eiddof.
Er hynny, efo sy'n achos gofid im.

'R Arglwyddes C Siŵr iawn; mae'r bradwr gwaedlyd eto'n fyw.

Juliet Mae'n bell o'm cyrraedd i a'r dwylo hyn!
O na bai'r hawl i ddial tranc fy nghâr
Yn eiddo llwyr i **mi.**

'R Arglwyddes C Na phoena ddim;
Fe fynnwn ddial arno. Sych dy ddagrau.
Anfonaf air at ffrind ym Mántiwâ,
Lle mae'r ffoadur brwnt yn awr yn byw,
Ac erchi rhoi'r fath lymaid cryf i'r cnaf
A'i gyr i gwmni Tubolt yn ddi-oed;
Ac felly, ond odid, fe'th fodlonir di.

Juliet Ynglŷn â Romeo, ni'm bodlonir byth
Nes cael ohonof weld ei wyneb – marw
Yw 'nghalon drom ar ôl perthynas im.
Madam, yn awr, pe gallech daro ar ddyn
I gludo gwenwyn, mi ddarparwn drwyth
Y byddai Romeo druan, wedi'i yfed,
Yn syrthio i gwsg effeithiol. Mae'n flinder im
Glywed ei enwi o hyd, heb siawns cael mynd
I gronni'r serch a deimlwn at fy nghefnder
Yn dân ar gorff y sawl a'i lladdodd ef.

'R Arglwyddes C Darpar di'r trwyth, mi ffeindiaf innau'r cludydd;
Ond 'n awr, mae gennyf newydd da i ti.

Juliet Addas yw rhodd o'r fath ar hyn o bryd.
Atolwg, Madam, beth yw'r newydd da?

'R Arglwyddes C Wel, ferch, mae gennyt dad meddylgar iawn,
Yr hwn, i leddfu'r tristwch dan dy fron,
A drefnodd ddydd o lawen chwedl yn sydyn,
Dydd nas disgwylit ti, na minnau chwaith.

Juliet Amserol, madam! A pha ddydd yw hwn?

'R Arglwyddes C Wel, dydd Iau nesa, 'n gynnar, 'mhlentyn-i,
Daw'r gŵr bonheddig ifanc, hyglod, hoff,
Paris, y Cownt, i'r Eglwys gysegr draw,
I'th wneuthur-di, fan honno, yn briod lon.

Juliet Ac myn yr Eglwys sant, a Phedr, a phawb, –
Ni chaiff y Cownt mo'm gwneud yn briod lon.

'Rwy'n synnu at y brys, y pwyso ar ferch
I briodi rhywun na fu'n ceisio'i llaw!
Atolwg, Madam, brysiwch i hysbysu
Fy arglwydd dad na fynnaf briodi'n awr;
A thyngaf, clywch, pan ddigwydd hynny i mi,
Mai Romeo, yr hwn – chwi wyddoch – a gasâf,
Fydd briod im, nid Paris. 'Newydd da', dros ben.

'R Arglwyddes C Wel, dwêd y cyfan wrth dy dad: mae'n dod.
Cei weld, cyn hir, beth fydd ei adwaith ef.

(Enter CÁPWLET a'r NYRS)

Cápwlet Pan gilio'r haul, fel rheol, gwlith a geir;
Ond wedi machlud einioes mab fy mrawd,
Mae'n bwrw glaw yn drwm . . .
Beth sydd, wylofus eneth? Dagrau fyth
Yn daer gawodydd? Mae dy gorpws bach,
Yn ceisio arddelwi yn gwch, **a** môr, **a** gwynt;
Cans mynni â'th lygaid efelychu'r môr
Mewn llanw a thrai dagreuol; mae dy gorff
Fel cwch yn nofio'r heli; ac mae'r gwyntoedd,
Sef d'ocheneidiau, fel pe'n brwydro fyth
Â'th ddagrau hallt. Ac oni ddaw tawelwch
O rywle'n sydyn, fe ddymchwelir, toc,
Dy storm-rwygedig gorff. Yn awr, fy mhriod,
'Gafodd-hi'r newydd am ein bwriad-ni?

'R Arglwyddes C Do, syr. Mae'n diolch ichi, a dyna i gyd.
Gresyn na châi'r ynfyten briodi ei bedd!

Cápwlet Arhoswch funud, wraig, 'rwy'n methu â'ch dilyn.
Ai 'styfnig yw-hi, heb geisio diolch dim?
Heb deimlo'n falch? Heb weld mor ffodus yw,
Er gwaethaf bob dinodedd, trŵom ni,
Yn cael y fath foneddwr nobl yn ŵr?

Juliet 'Rwy'n ddiolchgar ichwi, ond nid yn falch o'ch gwaith;
Cans teimlo'n falch o'r hyn sydd atgas im,
Nis gallaf; ond rhof ddiolch hyd yn oed
Am gasbeth, pan fo'n ffrwyth teimladau da.

Cápwlet A beth, yr holltwr blew, yw ystyr hyn?
'Balch' ac ' 'Rwy'n diolch', ond **nid** diolch chwaith;
Ac eto, 'Nid yn falch'? Wel, meistres mursen,
Cadw dy ddiolch, balch neu beidio. Ond, –

Ystwytha dŷ gymalau cyn dydd Iau,
I fynd yng nghwmni Paris, draw, i'r llan, –
Neu gael dy lusgo ar lidiart, doed a ddêl.
Dos, faeden weplwyd, dos! Ffwrdd ti, ffwrdd ti –
Y gruddiau gwêr!

'R Arglwyddes C Ffei, ffei; gweithredwch bwyll!

Juliet *(Yn penlinio)* Fy nhad, 'rwy'n erfyn ar fy ngliniau'n awr,
Gwrandewch, yn amyneddgar, un gair bach.

Cápwlet O'm golwg, groten ffol, anufudd, – ond
Dy warnio'r wyf, i'r eglwys ddydd Iau nesaf,
Neu paid ag edrych yn fy wyneb mwy . . .
Bydd ddistaw; dal dy dafod; dim un gair!
Mae 'mysedd-i'n ymwingo! Cwynem gynt
Yn fynych, briod, am na roesai'r Nef
Ddim ond un plentyn inni; ond yn awr
Fe roed, 'rwy'n gweled, **un** yn ormod in,
A'n bod dan felltith byth ar ôl ei chael.
Wfft iddi, y sopen!

Y Nyrs Nac e, bendith Nef.
Mae'n g'wilydd ichi, f 'arglwydd, fod mor gas.

Cápwlet Oho, feistres Doethineb! Dal dy dafod!
Cais dy gymheiriaid clebran. Brysia, dos.

Y Nyrs Nid wyf yn traethu brad.

Cápwlet Nos dawch! Nos dawch!

Y Nyrs 'Chai ddweud 'r un gair?

Cápwlet Y fenyw fyngus, dos!
Arllwys dy bwysig druth i'r fowlen straes:
'Does dim o'i angen yma.

'R Arglwyddes C. Ymbwyllwch beth!

Cápwlet Y nefoedd fawr! Mae'n ddigon i'm gwallgofi;
A minnau wrthi, ddydd a nos, bob awr
Bryd gwaith, bryd chwarae, pob rhyw bryd,
Yn ceisio cymar iddi, ac wedi im lwyddo

I gael boneddwr gwych o uchel dras, –
Llanc ifanc tiriog, diwylliedig, doeth,
Sy'n bopeth y dymunem iddo fod, –
Mae hithau'n awr, y ffŵl babïaidd, hurt,
Y ddoli wichlyd, yn ei chyfle ffodus,
Yn ateb "Na; ni allaf roi fy serch:
Rhy ieuanc ydwyf; rhoddwch bardwn im",
   Ond, os gwrthodi'r cynnig, ar fy llw
Ti **gei** fy mhardwn! Pora di lle mynni;
Ni chei breswylio dan fy nghronglwyd **mwy.**
Cysidra: cymer bwyll: nid smalio yr wyf.
Mae dydd Iau'n nesu: penderfyna ar frys.
Os eiddof wyt, fe'th roddaf di i'm ffrind;
Os amgen, dos i'th grogi; crwydra'r stryd;
Mwyach, myn f'enaid, ni fwriadaf d'arddel,
Ac ni chaiff dim o'r eiddof dy lesáu.
Ymbwylla. Dyna'r gwir, – a'r gwir a saif.

(Exit)

Juliet

Onid oes, hwnt i'r cymyl, ryw dosturi
Sy'n gweld i lawr i waelod isa' mhoen?
O, f'annwyl fam, na fwriwch-fi o'r ffordd!
Gohiriwch y briodas am ryw fis
Neu am rai dyddiau, canys onid e
Partowch fy ngwely priodas y tu fewn
I'r beddrod tywyll lle mae Tubolt draw.

'R Arglwyddes C

Ni fynnaf siarad gair â thi, 'Rwy'n fud.
Gwna fel y mynni'n awr. Ni'th flinaf mwy.

(Exit)

Juliet

O Dduw! – O Nyrs, pa fodd y rhwystrir hyn?
Mae 'mhriod ar y ddaear hon, a'm ffydd
Fry yn y Nef. Dwêd im, pa fodd y daw
Fy ffydd yn ôl i'r ddaear heb i'm gŵr
Gael cyfle i'w hanfon imi oddi fry.
Drwy 'mado â'r ddaear? Dyro gysur im,
Och fi, a'r Nef ei hun yn gwneuthur strywiau
Ar wrthrych gwan a meddal fel myfi!
Beth 'ddwedi, Nyrs? Onid oes mymryn bach
O gysur gennyt im?

Y Nyrs

Oes; dyma fo:
Mae Romeo'n alltud, – ac mi fentraf ddal
Am unrhyw swm, na faidd-o byth ddychwelyd

I aflonyddu arnoch; ac wrth gwrs,
Petasai'n digwydd dod, fel lleidr y dôi.
A chan mai fel'na y mae-hi – onid gwell
I chitha' bellach ymbriodi â'r Cownt?
Mae-o'n foneddwr hawddgar. 'Tydi Romeo
Ddim ond fel cadach llestri yn ymyl hwn.
Mae llygaid Paris yn fwy gwyrdd a byw
Na llygad eryr, Madam, a mwy hardd.
Diaist, 'rydach-chi'n lwcusach y tro hwn
O lawer na'r tro cyntaf. Ond sut bynnag,
Mae'r cariad cynta'n farw, – wel, hynny yw, –
Cystal â marw i'ch holl ddibenion chwi.

Juliet Ai dyna iaith dy galon?

Y Nyrs Debyg iawn!
Iaith f'enaid hefyd, neu plâg ar y ddau.

Juliet Amen.

Y Nyrs Be ddeudsoch chi?

Juliet O'r gorau'n awr. –
'Rwyf wedi fy nghysuro'n wyrthiol wych.
Dos, a rho wybod i'm harglwyddes fam
Fy mynd, – o achos digio 'nhad fel hyn, –
I'r gell at Lorens, i gyffesu 'mai
A chael maddeuant. Dos.

Y Nyrs Yn wir, mi af:
Yr ydych 'rŵan yn gweithredu'n ddoeth.

(Exit y NYRS)

Juliet Felltith hynafol! O, gythreules front!
Pa bechod gwaeth na'm hannog i droi nghefn
Ar gysegredig briodasol lw,
Os nad dilorni f'arglwydd â'r un tafod
Y bu'n ei foli ag ef, ni wn sawl gwaith,
Mor hael cyn heddiw? Ac yn awr,
Brysiaf i gell y Brawd. Os help ni chaf,
Mae gennyf nerth i farw, – a marw a wnaf.

(Exit)

ACT IV

GOLYGFA I

Enter y BRAWD LORENS a'r COWNT PARIS

Y Brawd Bore dydd Iau, syr? Amser byr dros ben.

Paris Dyna ddymuniad f 'Arglwydd Cápwlet;
Ac nid wyf finnau'n chwennych llacio'r brys.

Y Brawd Ond, gan na wyddoch beth yw barn y ferch,
Mae'r llwybr yn ddyrys. Nid wy'n hoffi'r gwaith.

Paris A hi'n galaru cymaint ar ôl Tubolt,
Ni chawsom fawr o gyfle i sôn am serch;
Ac ni all Fenws wenu lle bo gwae.
Ond, syr, ym marn ei thad mae'n berygl mawr
Rhoi cyfle i'r ferch ofidio mwy na mwy,
Ac felly mae'n prysuro ynglŷn â'n priodas,
Gan dybio y gall cwmnïaeth rwystro lli
Dagrau unigrwydd. Gwyddoch chwithau'n awr
Fod rheswm cywir y tu ôl i'r brys.

Y Brawd *(O'r neilltu)* Mi wn, – och fi! – na ddylem frysio dim –
Ond wele, syr, mae'r ferch ei hun yn dod!

(Enter JULIET)

Paris O! hapus gwrdd; f 'arglwyddes-i a'm gwraig!

Juliet Efallai, syr, – pan allaf **fod** yn wraig.

Paris Fe dry'r "efallai" 'n "ddi-au" ddydd Iau, f 'annwyl.

Juliet **Mae'n** ddi-au, os yw'n rhaid.

Y Brawd Ymadrodd gwir.

Paris Ai dyfod at yr athro i wneuthur cyffes
Yr oeddych heno?

Juliet Ateb eich cwestiwn hwn,
Cyfystyr fyddai â chyffesu i chwi.

Pairs Na chuddiwch rhagddo'r ffaith y cerwch-fi.

Yn union deg fe draidd rhyw oerni swrth
Trwy dy holl wythi, a bydd curiadau'r gwaed
Yn mynd yn llai a llai, nes peidio'n llwyr:
Ni all na gwres nad anadl ddweud wrth neb
Dy fod yn fyw; fe dry rhosynnau gwridog
Dy fin a'th foch yn lludw llwyd; fe syrth
Llenni dy lygaid, a daw nos i'th drem,
Fel pe bai tranc yn diffodd golau dydd.
Heb egni mwyach, bydd pob rhan o'th gorff
Fel tranc ei hun, yn llonydd ac yn oer;
Ac yn y tranc-debygrwydd benthyg hwn
Y byddi, ferch, am ddeugain awr a dwy,
Cyn deffro'n ôl, megis o hyfryd gwsg.
Felly, pan ddaw'r priodfab gyda'r wawr,
I'th alw o'th wely, yn 'farw' y caiff dydi;
Ac yna, yn unol â defodau'n gwlad,
Yn dy wisg orau, gain, heb gist o'th gylch,
Fe'th ddygir-di ar elor parth â'r fynwent,
I feddrod hen dy deulu, y fan lle rhoed
Y Capwletiaid gynt i orwedd oll.
Yn y cyfamser, erbyn awr dy ddeffro,
Caiff Romeo wybod yr holl ffeithiau hyn,
Ac fe ddaw yma i wylio gyda mi.
Hyd foment dy ddadebru; a'r noson honno
Caiff Romeo fynd â thi i Fántiwâ;
Ac felly cei ddihangfa o'th broblem erch,
Os na fydd esgus neu fenywaidd ofn
Yn diffodd d'ysbryd dewr yng nghwrs yr act.

Juliet Rho'r ffiol imi: paid â sôn am ofn.

Y Brawd Purion: dos, ferch, – a bydded llwydd i ti,
Yng ngrym dy benderfyniad. Gyrraf air
I Fántiwâ'n ddi-oed, at Romeo.

Juliet Rhoed cariad nerth, a nerth wroldeb, im;
Ffar-wel, offeiriad.

(Exeunt)

GOLYGFA II

Enter CÁPWLET, yr ARGLWYDDES CÁPWLET, y NYRS, a dau wasanaethydd neu dri.

Cápwlet *(yn estyn papur)* Gwadd di'r gwesteion sydd â'u henwau ar hwn.
(Exit GWAS, gyda'r rhestr)
(Wrth was arall) Tithau, cais ugain cogydd medrus imi.

Y Gwas Mi ofalaf na chewch-chi'r un **an**fedrus, syr: dim ond rhai abal i lyfu eu bysedd.

Cápwlet A pham hynny?

Y Gwas O, wel, syr, os na fedar cogydd lyfu'i fysedd ei hun, 'tydi-o fawr o beth; ac felly, dim ond cogydd fedar lyfu'i fysedd 'wna'r tro i mi.

Cápwlet Dos, ffwrdd ti. *(Exit GWAS)*
Mae'n anodd trefnu'r gwaith mewn amser byr.
Nyrs, 'aeth fy merch i weld y brawd offeiriad?

Y Nyrs Do, 'neno'r tad.

Cápwlet Gall ef ystwytho tipyn arni, siawns;
Y lodes biwus ac ystyfnig ganddi!

(Enter JULIET)

Y Nyrs Ha, dyma **hi**'n dod o'r gell gyffesu'n llon.

Cápwlet Ho, 'ngeneth benstiff: p'le buost-ti'n cymowta?

Juliet Bûm draw yn dysgu'r ffordd i 'difarhau
Oherwydd f 'anufudd-dod cyndyn cas
I'ch dymuniadau chwi. Gorchmynnir im
Gan y Brawd Lorens i benlinio o'ch blaen
A deisyf pardwn gennych . . . Pardwn, atolwg! –
O hyn ymlaen, eich deiliad ufudd wyf.

Cápwlet Anfoner am y Cownt: ewch, dwedwch wrtho.
Rhaid clymu'r cwlwm hwn ben bore 'fory.

Juliet Mi gyfarfûm â'r Cownt yn nhŷ'r Tad Lorens,
A rhoi pob arwydd addas iddo o'm serch,
Heb gamu dros derfynau gwylder glân.

Cápwlet Purion; 'rwyf wrth fy modd. Tyrd, cyfod, ferch:
Daeth pethau i'w lle. Ac weithion, – y Cownt Paris.
Wel, ie'n wir, ewch, meddaf, i'w ddwyn yma;
A pharthed y parchedig Lorens, rhof a Duw,
Mawr iawn yw dlêd ein dinas iddo 'rioed.

Juliet Nyrs, 'ddowch-chi gyda-mi i'm 'stafell breifat
I drafod yno pa ryw fath o wisg
Ac addurn a fo'n addas imi 'fory.

'R Arglwyddes C Wel na, nid 'fory, ond Difiau: 'does dim brys.

Cápwlet Ie, Nyrs, ewch gyda-hi. Awn tua'r eglwys **'fory.**

(Exeunt JULIET a'r NYRS)

'R Arglwyddes C 'Rwy'n gweld y bydd ein darpariaethau'n brin:
Mae'n nosi eisoes.

Cápwlet Twt, mi wrantaf ichwi
Y bydd pob peth yn dda. Symbylaf bawb,
Dos di at Juliet i'w chynghori'n gall.
Nid af i'm gwely. Gad y trefnu i mi.
Caf actio gwraig y tŷ fel tae. Ond ho!
'Oes neb ar gael? Wel, wel, mi frysiaf draw
Fy hunan at y Cownt, i'w baratoi
Ar gyfer 'fory. O, 'rwy'n teimlo'n llon
Ddarfod darbwyllo'r ferch wrthnysig hon.

(Exeunt)

GOLYGFA III

Ystafell Juliet. Gwely â llenni o'i amgylch, yn y cefn.

Enter JULIET a'r NYRS.

Juliet Ie, dyna'r wisg! Yn awr, atolwg, Nyrs,
Gad fi, am heno, ar fy mhen fy hun:
'Rwy'n teimlo fel gweddïo'n daer drwy'r nos
Er mwyn i'r Nefoedd wenu ar fy stad, –
Cans, fel y gwyddost, llawn o bechod wyf.

(Enter yr ARGLWYDDES CÁPWLET)

'R Arglwyddes C Prysur, mae'n debyg? 'Oes arnoch eisiau help?

Juliet Madam, nac oes: 'rŷm wedi casglu 'nghyd
Bob peth sy'n angenrheidiol at yfory.
Dymunaf, heno, gyda'ch cennad chwi
Fod ar fy mhen fy hun: caed hithau'r nyrs
Fynd gyda chwi i'ch helpu, canys gwn
Fod gennych lond pob man o waith i'w wneud,
A hynny ar frys, mewn amser byr.

'R Arglwyddes C Nos dawch.
I'r gwely â thi. Mae arnat angen gorffwys.

(Exeunt yr ARGLWYDDES a'r NYRS)

Juliet *(Yn ymson)* Ffar-wel, – ond am ba hyd, Duw'n unig ŵyr!
Mae'r ofn sy'n gryndod iasoer drwy fy ngwaed
Bron iawn â rhewi'r gwres a'm ceidw yn fyw!
Galwaf hwy'n ôl i roddi cysur im.
Nyrs! – Pa gysur 'roddai **hi** fan yma?
Fy mhart di-galon i fy hun yw hwn!
Tyrd, ffiol.
Ond beth pe methai'r drwyth â gwneud y gwaith?
A fyddai'n **rhaid** im briodi bore 'fory?
Na, na! Bydd rhwystr! Gorwedd di ger llaw.
(Mae'n dodi'i chyllell i lawr)
Beth os yw'r drwyth yn wenwyn? Ai rhoi pen
Ar f'einioes-i, trwy frad, a fynnai'r Brawd, –
Rhag i'r briodas hon ei ddwyn i warth –
Ag yntau wedi 'nghlymu o'r blaen wrth Romeo?
Ie, 'r wy'n ofni; ond eto, na, dim peryg':
Gŵr duwiol, onest, a fu ef erioed.
A beth petawn, tra'n gorwedd yn y bedd,

Yn deffro **cyn** yr amser y gall Romeo
Gyrraedd i'm hachub? O, gwae fi, gwae fi!
Fe'm mygid yno, o fewn y beddrod brwnt,
O ddiffyg awyr iach, a byddwn farw
'Mhell cyn i'm hannwyl Romeo ddod.
Neu, os byw fyddaf, onid posibl yw
Y bydd i'r meddwl maith am dranc a nos
Ac ofnadwyon dwys y fangre i gyd,
Sef dychrynderau'r gladdfa, y beddrod hen,
Lle rhoed, yn bentwr, drwy'r canrifoedd gynt,
Esgyrn fy holl hynafiaid; lle mae ef,
Y gwaedlyd Dubolt, ers tro byr yn ôl,
Mewn amdo'n pydru, a lle, yn oriau'r hwyr,
Y bydd ysbrydion, meddir, yn ymdroi:
Och! onid posibl yw y byddai hyn,
Ac arogleuon ffiaidd lond y lle,
A sgrechian, – fel pan rwyger mandragorau
Allan o'r pridd, – a bair wallgofi'r byw,
Onid posibl, pe deffrown, yr awn o'm pwyll
Yng nghanol y fath hacrwch, ac ymrói
I chwarae'n wyllt ag esgyrn fy nghyndadau,
Neu blycio Tubolt oer o'i amdo i ma's,
Ac mewn cynddaredd cymryd asgwrn coes
Un o'm carennydd cawraidd gynt fel gordd
I lwyr ddi-leu f'ymennydd hurt fy hun?
   Edrychwch draw! 'Rwy'n gweled rhith fy nghefnder
Yn ceisio 'mhriod, a'i cigweiniodd-ef
Ar flaen ei gleddau'n gorff. Paid, Tubolt, paid!
Romeo, Romeo, Romeo, – 'rwy'n yfed hwn i **ti.**

(Syrth ar ei gwely, tu-fewn i'r llenni)

GOLYGFA IV
Neuadd yn nhŷ Cápwlet

Enter yr ARGLWYDDES CÁPWLET a'r NYRS, yn cario pêr-lysiau

'R Arglwyddes C Nyrs, hwdiwch yr allweddi, ac ewch i chwilio
Am chwaneg o bêr-lysiau.

Y Nyrs Mae gweiddi mawr
Am ddatys ac afalau yn y gegin.

(Enter CÁPWLET)

Cápwlet Dowch; styriwch, styriwch, – dyma'r oriau mân.
Canodd y larwm; mae hi'n dri o'r gloch.
Cofiwch wneud digon o basteiod bach,
Angelica.

Y Nyrs Pw! bys yn y brywes! Ewch,
A chysgwch dipyn! neu bydd straen yfory
Yn ormod ichi ar ôl ein gwylio cyd.

Cápwlet Na; 'choelia-i fawr! Gwyliais ar hyd y nos
Am reswm llai cyn heno heb flino dim

'R Arglwyddes C Do: gwylio merched oedd eich hobi gynt;
Ond gwyliaf **i** na chewch ddim gwylio mwy!

(Exeunt yr ARGLWYDDES a'r NYRS)

Cápwlet Cenfigen noeth: cenfigen noeth.
(Enter tri neu bedwar yn cario cigweiniau, boncyffion a basgedi)
Hai, gyfaill, beth sy' gen'-ti?

Gwas I Rhywbeth i'r cogydd, syr, dyna'r cwbl 'wn **i**.

Cápwlet Wel brysia, brysia. *(Exit GWAS I)*
Syre, dos i nôl
Boncyffion sych. Gall Pitar ddweud lle maent.

Gwas II Mae gen'-i ben rheit dda am logiau, syr:
Dim angen trwblo Pitar na neb arall.

Cápwlet Diaist-ti, ardderchog, fachgen. Brysia, dos:
Tydi yw'r boncyff ben. *(Exit GWAS II)*

Gwarchod, mae'n ddydd;
A bydd y Cownt a'i fiwsig yma ar hyn:
Neu felly'r oedd o'n dweud. *(Sŵn miwsig)*
Ust! dyna fo!
Nyrs! ho! A'm priod, – brysiwch, dowch.
(Enter y NYRS)
Ewch, Nyrs, i ddeffro Juliet. Helpwch-hi.
Af innau i sgwrsio â Pharis. Styriwch, Nyrs;
Y mae'r priodfab eisoes wedi dod.
Atolwg, brysiwch.

(Exeunt)

GOLYGFA V

Siamber Juliet. Mae'r llenni 'nghau o amgylch y gwely.

Enter y NYRS

Y Nyrs Meistres! hai meistres! Juliet! Cysgu'n sownd, mi wn
F 'oenig! f 'arglwyddes! Ffei, gysgadur, ffei!
Hai, madam briodasferch! Beth, 'run gair?
Cymryd eich tipyn cwsg yn **awr**, ai e? –
Cysgwch am wythnos gron. Mae'r Cownt, mi wranta',
Yn benderfynol na chewch fawr o gwsg
Y noson gyntaf. Duw faddeuo i mi!
Amen, amen! Wel, dyma gysgu trwm! –
Ond diawcs, mae'n rhaid ei deffro. Madam! madam!
O, caed y Cownt eich gwasgu yn eich gwâl;
Fe'ch deffry, coeliwch **fi** . . . Ond, – be' sy'n bod?
(Mae'n tynnu'r llenni yn ôl)
Beth? Wedi ymwisgo, ac wedyn syrthio 'nghwsg?
Sut bynnag, **rhaid** eich deffro. Arglwyddes! dowch!
(Yn ei sgytian)
Trugaredd! Mae f 'arglwyddes wedi marw!
Och fi! Help! help! O, gwae fy ngeni 'rioed.
Help! P'le mae'r *aqua-vitae*? Meistr, meistres!

(Enter yr ARGLWYDDES CÁPWLET)

'R Arglwyddes C Pa stŵr yw hwn?

Y Nyrs O, dor-calonnus ddydd!

'R Arglwyddes C. Ond beth sy'n bod?

Y Nyrs O, fore trist! Edrychwch!

'R Arglwyddes C Och fi! Fy mhlentyn! F 'unig fywyd-i!
Tyrd, edrych arnaf, neu ni allaf fyw!
Help! help! O, help!

(Enter CÁPWLET)

Cápwlet Rhag c'wilydd! P'le mae Juliet?
Mae'r Cownt yn barod eisoes. P'le mae **hi**?

Y Nyrs Mae wedi marw, wedi marw! Och o'r dydd!

'R Arglwyddes C O, ddiwrnod trist! Mae'n farw! Mae wedi marw!

Cápwlet Ha! rhowch im weld . . . Och, druan fach, mae'n oer,
Mae'n ddiymadferth: peidiodd llif ei gwaed: '
Di-fywyd yw ei min ers oriau maith.
Pa farrug anamserol ddaeth i ladd
Blodeuyn mwyaf pêr y maes i gyd?

Y Nyrs O, dorcalonnus ddydd!

'R Arglwyddes C O, dristaf awr!

Cápwlet Mae tranc, a'i cipiodd ymaith i'm prudd-hau
Yn llyffetheirio 'nhafod, ac 'rwy'n fud.

(Enter y BRAWD LORENS, y COWNT, a Cherddorion)

Y Brawd 'Yw'r ferch yn barod i fynd tua'r llan?

Cápwlet Parod i fynd, ond byth i ddod yn ôl.
(Wrth PARIS) Neithiwyr, fab annwyl, cyn dy briodas ddydd,
Daeth Tranc i orwedd gyda'th wraig, ac ef
O'i glân forwyndod a'i hysbeiliodd hi.
Tranc yw fy mab yng nghyfraith; Tranc yw f'aer;
Priododd Tranc fy merch. Caf farw yn awr
A gado 'nghwbl, yn fywyd a bywoliaeth,
Yn nwylo Tranc.

Paris 'N ôl edrych cŷd ymlaen at ganfod gwedd
Y bore hwn, ai dyma'r ateb im?

'R Arglwyddes C Felltigaid, chwerw, anhapus, boenus ddydd!
Y dristaf awr a welodd Amser hen
Yng nghwrs ei bererindod faith erioed.
'Doedd dim ond un, dim ond un plentyn hoff,
Dim ond un peth a rôi ddedwyddwch im, –
Ac O, daeth creulon dranc a'i gipio o'm gŵydd.

Y Nyrs O wae! O wae! Y tristaf dydd o wae, –
Y dwthwn truenusaf, llawnaf gwae,
A welais i erioed, erioed, erioed.
O, greulon ddydd! O, greulon ddydd!

Paris Twyllwyd, ysgarwyd, gwawdiwyd, lladdwyd-fi!
Fe'm lloriaist heddiw'n llwyr, ffieiddiaf Dranc:
Ysbeiliaist, twyllaist-fi, â'th greulon ddawn.
O, serch! O fywyd! Na, nid bywyd mwy:
Mae serch ac angau wedi mynd yn un.

Cápwlet

'Rwy'n awr yn wrthrych trallod, cosb a gwawd, –
Gŵr llofruddiedig, merthyredig wyf!
Ddi-dostur Dymp, paham y mynnit ddod
Ar hyn o bryd i ladd ein harfaeth-ni?
Weithion, fy mhlentyn, ie, f'enaid oll,
'Rwyt wedi marw. Fy mhlentyn nid yw fyw;
A gyda'm plentyn, cleddir pob mwynhad
Sy'n eiddo i mi.

Y Brawd

Ho, gosteg! Rhag cywilydd 'nawr!
Ni all galaru gwyllt liniaru dim
Ar ingol brofiad. 'Roedd y dlos, mewn **rhan**
Yn eiddo chwi, mewn **rhan** yn eiddo'r Nef.
Os llwyddodd Tranc i ddwyn eich cyfran **chwi,**
Fe geidw'r Nef ei rhan yn fythol fyw.
Eich awydd pennaf chwi oedd llwydd y ferch
A chael dyrchafiad iddi; dyna eich Nef:
Ac felly, yn awr, wrth weld dyrchafu'r dlos
I Nef y Nefoedd, pam yr wylwch-chwi?
Trwy gariad gwyllt, – fe'i cerwch hi mor annoeth
Nes mynd yn amwyll, – hithau'n ddedwydd iach.
Cans dedwydd yw gwraig briod brydferth, hoff,
Sy'n marw'n ifanc. Ie, gwyn ei byd!
Sychwch eich dagrau; ac yn ôl yr arfer,
Rhowch sbrigyn o ros-mari ar ei bron;
Ac yn ei dillad gorau, yn ôl y drefn,
Cludwch y dlos heb oedi tua'r llan.
Cans er fod Natur yn dweud – "Wylwch, bawb", –
Digrif, medd Rheswm, yw ei chyngor-hi.

Cápwlet

Mae'n holl ddarpariaeth-ni ar gyfer gwledd
Yn awr yn troi'n ddefodaeth drist y bedd:
Troes offer cerdd yn felancolaidd glychau,
Troes priodasol firi yn angladd prudd,
Troes llon emynau'n alarnadau dwys,
Mae fflur y briodas yn addurno'r corff,
A phopeth fel pe'n mynnu troi o chwith.

Y Brawd

Syr, ewch i mewn: madam, ewch gydag-ef:
Chwithau'r un modd, Syr Paris. Paratówn
I ddilyn corff y dlos at fin y bedd.
Digiodd y Nefoedd wrthych am ryw ddrwg:
Ymgroeswch mwyach rhag ail-ddefro'i gwg.

(Mae pawb ond y NYRS a'r Cerddorion yn mynd ymaith, gan furw rhos-mari ar y corff, a chau'r llenni)

Cerddor I Diaist-ti, cawn gadw noswyl rŵan, nyrs.

Y Nyrs Wel ia, fechgyn, 'waeth noswylio'n awr;
Mae popeth erbyn hyn mor druan drist.

Cerddor I *(Gan edrych ar ei gas ffidil siabi)*
Wel ydi, **mae pob peth** yn drist ei stad.

(Exit NYRS. Enter PITAR)

Pitar Gerddorion, O, gerddorion, – "Hwb i'r Galon". Mae'n rhaid cael "Hwb i'r Galon", er mwyn fy nghadw'n fyw.

Cerddor I Pam "Hwb i'r Galon"?

Pitar O, gerddorion, – mae'r hen galon-'ma wedi cael llond bol o "Galon Drom". Cenwch diwn bach reit ysgafn i'm cysuro.

Cerddor I Dim o'r fath beth. Nid amser i ganu ydi hwn.

Pitar Hynny ydi, 'wnewch-chi ddim?

Cerddor I 'Wnawn-ni ddim.

Pitar Wel, fe'i cewch-hi'n rheit swnllyd gen' i.

Cerddor I A beth a gaf fi, 'sgwn-i?

Pitar O, nid arian, ond herian. Mi'th alwaf yn hen daeog.

Cerddor I Ac mi'th alwaf ditha'n greadur diog?

Pitar Cei ditha' wedyn deimlo dager y diogyn ar dy benglog. 'Wnei di ddim dengid ar chware bach. Mi'th re-iaf, ac mi'th ffa-iaf. 'Wyt ti'n clywed?

Cerddor I Pan fyddi **di** yn re-io ac yn ffa-io, pwy all lai na chlywed?

Cerddor II Tyrd; cadw dy ddager, a dangos ddigrifwch.

Pitar O'r gorau, digrifwch amdani. Mi gadwaf fy nager ddur, a'ch cystwyo â dur fy nigrifwch. Atebwch y cwestiwn hwn:–

Pan fytho cur yn brathu f 'ais,
A phoen yn llethu 'nghalon brudd,
Daw miwsig gydag arian lais – "

Pam "**arian** lais", pam "miwsig gydag **arian** lais"? Sion Cathryn, -- ateb di.

Cerddor I Wel, diaist-i, beth sy'n fwy melysber nag arian?

Pitar Da iawn, wir! A thitha', Huw Rebeca?

Cerddor II 'Arian lais', faswn i'n dweud, am fod ffidleriaid yn leicio gwneud sŵn er mwyn cael arian.

Pitar Purion eto. Titha' rŵan, Siôn Seinbost?

Cerddor III Dratia! – 'dwn-i ddim beth andros i'w ddweud.

Pitar O, begio pardwn: canwr wyt **ti.** Wel, mi lefaraf i'n dy **le.** "Miwsig arian lais", am y rheswm yma: 'Tydi cerddorion byth yn cael **aur** yn dâl am y sŵn a wnânt.

"Ond er bod hynny'n ddigon gwir,
Daw miwsig gydag arian lais,
I godi 'nghalon cyn bo hir."

(Exit)

Cerddor I Wel, dyna dderyn plagus, onid e?

Cerddor II Ach-a-fi, 'mhell y bo'r hen lolyn. Ac rŵan, brysiwn i mewn i'r fan acw cyn i'r galarwyr gyrraedd, ac i aros cinio.

(Exeunt)

ACT V

GOLYGFA I

Mántiwâ. Stryd a siopau.

Enter ROMEO

Romeo
Mewn breuddwyd – petai goel ar weniaith cwsg –
Dych'mygais fod newyddion da gerllaw.
Siriol yw serch fy nghalon ar ei sedd.
Heddiw, drwy'r dydd, fe'm cwyd rhyw ysbryd dieithr
Uwchben y ddaear â meddyliau llon.
Breuddwydiais fod f'arglwyddes wedi dod
A'm cael yn gorff, – rhyw freuddwyd od, mi wn,
Rhoi hawl i'r marw fyfyrio fel pe'n fyw! –
Ond, â chusanau taer, adferodd hi
Fy mywyd im; a mwy na brenin oeddwn.
Och fi. Mor bêr fai **sylwedd serch** ei hun,
Pan ddyry cysgod serch y fath fwynhad!
(Enter BALTHASAR, gwas Romeo, mewn gwisg farchogaeth)
Newyddion o Verona! 'Nawr, Balthasar,
Oes gennyt air o law'r Brawd Lorens im?
Sut mae f'arglwyddes fam, a sut mae 'nhad?
Sut mae f'arglwyddes Juliet? Sut **mae** Juliet?
All dim byd fod o'i le, os yw **hi**'n iawn.

Balthasar
Wel, **mae** hi'n iawn; all dim byd fod o'i le.
Mae'i chorff ynghwsg yng nghladdfa'r Cápwleit,
A'i henaid gydag engyl Nef yn byw.
Gwelais ei dodi ym medd y teulu draw,
A brys-farchogaeth wedyn atoch chwi.
Eich pardwn, syr, am ddwyn newyddion drwg;
Ond, 'roeddych wedi gofyn imi ddod.

Romeo
Fel yna, ai e? Sêr, 'rwy'n eich herio i gyd!
Dos draw i'm llety. Tyrd â phapur ac inc.
Ymorol hefyd am geffylau im.
'R wy'n myned ymaith – heno.

Balthasar
Atolwg, annwyl syr, cymerwch bwyll.
Mae gwelwder a gwylltineb yn eich gwedd,
Sy'n d'rogan aflwydd.

Romeo Pw! Camsyniad noeth!
Ac felly, dos. Gwna'r pethau a erchais it.
Onid oes gennyt lythyr, gyda llaw,
Oddi wrth y brawd offeiriad?

Balthasar Nac oes, f 'arglwydd.

Romeo Wel, dos, a huria'r meirch. Dof atat, toc.
(Exit BALTHASAR)
Wel, Juliet, 'rwy'n dyfod y nos hon
I orwedd gyda thi. Gwn sut i ddod!
O, Ryfyg, 'rwyt-ti'n torri i mewn yn chwyrn
I'r meddwl desprad! 'R wyf yn cofio'n awr,
Am hen apothecari a drig yn ymyl,
Fan yma yn rhywle. Gwelais ef dro'n ôl.
Dan aeliau trwchus ac mewn carpiog wisg
Yn casglu llysiau: un main o gorff a gwedd,
A dioddefaint wedi curio'i gnawd.
O fewn ei siop ddi-lewych 'roedd ynghrôg
Hen grwban a styffiedig grocodil,
Crwyn pysgod hagr eu llun, a nifer prin
O lestri gwyrdd eu lliw, a chistiau gwag,
Pledrenni, man linynnau, hadau hen,
A rhos-gacennau brau, y cwbl ar chwâl
Yn sioe ddi-drefn. Wrth weld y tlodi hwn,
Meddwn, gan ymson, "Pe dymunai dyn
Bwrcasu gwenwyn marwol (ac mae'r sawl
A faidd ei werthu ym Mántiwâ'n herio tranc)
Trig yma druan tlawd a'i gwerthai iddo."
Wel, beth yw'r syniad hwn i minnau'n awr
Ond rhag-redegydd f 'eisiau? Ac o raid,
Fe wertha'r siopwr tlawd y gwenwyn im.
Ie hwn, os iawn y cofiaf, ydi'r tŷ.
Mae'n ddiwrnod gŵyl, wrth gwrs, a'r siop yngháu.
Hai! 'pothecari!

(Enter APOTHECARI)

Apothecari Beth yw'r bloeddio mawr?

Romeo Tyrd yma, frawd, 'Rwy'n gweld mai dyn tlawd wyt;
Wel, hwde bymtheg punt, a dwg i mi,
Atolwg, ddram o wenwyn, cyffur chwim
'All dreiddio'n sydyn drwy holl wythi'r corff.
A gwneud i'r truan lyncwr syrthio'n farw, –

A'i anadl yn ymsaethu'n chwyrn i ma's,
Fel pylor poeth o groth y fagnel.

Apothecari Wel,
Mae gennyf-i gyffuriau o'r fath; ond O,
Pes gwerthwn, syr, fe'm lleddid. Dyna'r ddeddf
Ym Mántiwâ.

Romeo 'Wyt ti mor druan dlawd,
Ac eto'n ofni marw? 'Rwy'n gweled ôl
Gorthrymder gofid ar dy wedd. Mae gwawd
A gwarth ac eisiau'n hongian ar dy gefn.
Trig newyn yn dy ruddiau; nid yw'r byd
Yn gyfaill it, na chyfraith byd ychwaith;
Ac os caiff hon ei ffordd, tlawd fyddi am byth.
Wel, torr y ddeddf, rhag tlodi, – a chymer hwn.

Apothecari Fy nhlodi, nid f'ewyllys, sy'n cytuno.

Romeo A'th dlodi, nid d'ewyllys, biau'r tâl.

Apothecari *(Yn estyn ffiol)*
Rhowch hwn mewn diod, yna'i lyncu'n llwyr;
A phetai gennych gryfder ugain dyn,
Fe'ch lladd yn gelain gegoer yn y fan.

Romeo A hwde dithau d'aur, – sy'n wenwyn gwaeth
I enaid dyn, ac yn llofruddio mwy
Mewn byd mor atgas na'r cyffuriau gwael
Na feddi'r hawl i'w gwerthu. Nid tydi
Sy'n gwerthu gwenwyn, ond myfi. Ffar-wel!
Pryn fwyd, a chais ymbesgi.
(Â'r APOTHECARI i mewn)
Tithau'n awr,
Cordial, nid gwenwyn, wyt; tyrd gyda mi:
Ym meddrod Juliet caf dy gymorth di.

(Exit ROMEO)

GOLYGFA II

Verona. Cell y Brawd Lorens.

(Enter Y BRAWD SIÔN)

Sion Ho, frawd San Ffransis! Gyd-grefyddwr, ho!

(Enter Y BRAWD LORENS)

Y Brawd Llais y Brawd Siôn, heb os nac oni bai:
Wel, croeso'n ôl o Fántiwâ, Ond, frawd, –
Beth 'ddwedodd Romeo wrthyt? Neu,
Os ysgrifennu a wnaeth, rho'r llythyr im.

Sion 'N ôl poeni cymrawd o'r un Urdd â mi,
(Sef Urdd y Brodyr Troednoeth yn ein tref),
I gael ei gyd-ymdeithas wrth ymweld
Â'r rhai sy'n dioddef yma dan y pla,
Galwasom heibio i un o'r tai'n ddi-oed;
Ond, daeth swyddogion yno i chwilio'r fan,
A rhoesant wybod in nad oedd y lle
Ddim eto'n ddigon rhydd oddi wrth yr haint;
Seliwyd pob drws i gadw pawb i mewn!
Felly, ni fedrais fynd i Fántiwâ.

Y Brawd Ond dwêd, a gafodd Romeo fy llythyr?

Sion Ni chefais neb i fynd â'r llythyr draw,
Na neb ychwaith i'w ddwyn yn ôl i ti,
Rhag ofn yr haint. A dyma'r llythyr, frawd.

Y Brawd Anffodus ddigwydd! Myn fy santaidd swydd, –
Nid llythyr dibwys mono: llythyr yw
Sy'n fater bywyd, a gall perygl mawr
Darddu o'r amryfusedd. Atolwg, dos,
Cais drosol haearn im, a thyrd ag o
Heb oedi i'm cell.

Sion Gwnaf hynny ar unwaith, gyfaill.

(Exit Y BRAWD SIÔN)

Y Brawd Yn awr rhaid imi frysio i'r fynwent draw,
Ac at y beddrod, ar fy mhen fy hun.
O fewn tair awr, pan ddeffry Juliet dlos,
Fe'm beia'n chwerw am fethu ag anfon gair

At Romeo, i wneud y digwyddiadau lu
Yn hysbys iddo, a'n holl drefniadau'n glir.
Ond gyrraf air yn syth at Romeo;
Ac nes ei ddod, caiff hithau nawdd fy nghell.
Juliet yn awr, och fi, caeëdig yw,
Ym meddrod oer dyn marw, yn gorpws byw!

(Exit Y BRAWD)

GOLYGFA III

Verona. Y fynwent a beddrod y teulu Cápwlet.

Enter PARIS, a macwy'n cludo blodau a ffagl.

Paris 'Nawr, lanc, rho'r ffagl i mi cyn mynd o'r golwg:
Ond na, rhag tynnu sylw diffodd-hi.
Dos; gorwedd ar dy hyd dan gangau'r yw,
A'th glust i'r ddaear, rhag i neb gael siawns
I groesi ar draws y fynwent, lac ei phridd,
Heb dy fod ti'n ei glywed. Ac yn awr,
Os clywi sŵn, dyro chwibaniad im,
Yn arwydd clir fod rhywun yn nesáu.
Rho'r pwysi blodau imi; ac weithion, dos.

Y Macwy *(O'r neilltu)* Mae arna-i ofn bod ar fy mhen fy hun,
Yma'n y fynwent; eto i gyd, fe'i mentraf. *(Mae'n myned)*

Paris Â blodau, flodyn pêr, 'rwy'n hulio'n awr
Dy briodas-wely. Gwae fod llwch a main
Fel hyn o'th gylch, ond O, fe'u gwlithaf-hwy
Bob nos â pheraidd ddwfr, neu'n niffyg hynny,
Â distyll-ddagrau fy ngriddfannau drud.
'Rwy'n cynnal arwyl beunos, er dy fwyn,
Gan wylo wrth osod blodau ar dy fedd.
(Mae'r MACWY'n chwibanu)
Rhybudd y bachgen imi! Pwy sy'n dod?
Pa felltigedig droed sy'n crwydro'n awr
I dd'rysu arwyl-ddefod bur fy serch?
Och, y mae golau ganddo? Cudd fi, cudd fi, nos!

(Mae'n mynd o'r golwg)

(Enter ROMEO a BALTHASAR gyda ffagl a matog a throsol haearn)

Romeo Rho'r trosol haearn mawr a'r fatog im;
A hwde'r llythyr hwn. Ben bore 'fory,
Cofia'i drosglwyddo-fo i'm hiôr, fy nhad.
Rho'r golau imi. Ar boen dy fywyd, clyw,
Beth bynnag 'weli neu a glywi, saf
Yn gwbl o'r golwg, heb ymyrryd dim
Â mi a'm gwaith. 'Rwy'n agor y bedd hwn,
Yn gyntaf i gael syllu ar wedd f 'arglwyddes,
Ac wedyn i gael tynnu oddi ar ei bys

Rhyw fodrwy y mae'n anhepgorol im
Gael meddiant arni. Ac felly, dos;
Ond clyw, – os meiddi, mewn amheuaeth hurt,
Ddod yma'n ôl i sbio pa ryw waith
'Chwanegol a fwriadaf, ar fy llw,
Fe'th rwygaf, doed a ddêl, yn ddarnau mân,
A hulio'r fynwent farus hon â'th gnawd:
Mae'r adeg a'm bwriadau'n greulon wyllt,
Mwy di-dosturi ganwaith, a mwy dreng
Na gwancus deigrod neu dymhestlog fôr.

Balthasar Mi af, syr: cewch bob llonydd o'm rhan i.

Romeo Bydd hynny'n garedigrwydd, Hwde hwn.
(Dyry arian iddo)
Pob llwydd a bendith, gyfaill: a ffar-wel.

Balthasar *(O'r neilltu)* Serch hyn i gyd, ymguddiaf dro gerllaw:
Mae'i wedd yn bryder im, a'i osgo'n fraw.

(Exit)

Romeo *(Yn siarad â'r fedd-gist)*
Ti greulon grombil, ffiaidd geubal tranc,
Traflyncaist beraidd damaid mwyaf prid
Y ddaear hon. Ond gwnaf i tithau'n awr
Agor dy safn bydredig led y pen,
A'th gramio, er dy waetha', â mwy o fwyd.

(Mae'n dechrau agor y fedd-gell)

Paris *(O'r neilltu)* Ie, hwn yw'r alltud balch, y Móntagiw
A laddodd annwyl gefnder Juliet fwyn
Gofid yr eneth dlos oherwydd hyn
A'i lladdodd hithau, meddir, ac yn awr,
Mae'r llofrudd yn cynllunio rhyw sarhad
I gyrff y meirwon. Dyma gyfle i'w ddal.
(Daw PARIS ymlaen)
Paid â'th ymyrraeth halog, Fóntagiw!
A ellir dal i ddial ar y meirwon?
Fe'th ddeliais, gondemniedig gnaf, yn deg.
Tyrd gyda mi. Fe ddaeth dy rawd i ben.

Romeo Yn wir, fe ddaeth, a dyna pam 'rwyf yma.
Ŵr ieuanc tirion, paid â phoeni dyn
Sy'n or-boenedig eisoes. Gad fi'n llonydd.
Boed meddwl am y rhain, – y meirwon hyn, –

Yn gymorth it ymbwyllo. Dos, yn wir,
Rhag tynnu camwedd arall ar fy mhen,
Trwy 'nhemtio i ymwallgofi. Atolwg dos!
Ond 'rwy'n dy garu'n fwy na mi fy hun;
Cans arfau yn f 'erbyn i fy hun yw'r rhain.
Nac oeda; dos. Goroesa; ac wedi hyn,
Cyhoedda mai trugaredd dyn o'i go'
'Archodd it redeg ymaith – am y tro!

Paris Gwrthodaf gymryd sylw o'r fath apêl.
Troseddwr wyt, ac 'rwy'n d'arestio-di.

Romeo Oes **raid** it gael fy herio? O'r gorau, lanc!

(Ymladdant)

Macwy Ow! maent yn ymladd! Af i chwilio am help!

(Rhed ymaith)

Paris Och fi, fe'm lladdwyd. *(Syrth)* Os trugarog di,
Agor y bedd, – dod fi wrth ystlys Juliet.

(Mae'n marw)

Romeo Mi wnaf, mi wnaf . . . Pwy, tybed, yw'r dyn hwn?
(Mae'n craffu ar wedd y marw)
Y Cownti Paris nobl, – cefnder Mércŵtio!
Beth dd'wedodd fy ngwas wrthyf ar y daith,
A minnau'n fyddar yn fy stormus ing?
Ai dweud yr oedd fod Paris cyn bo hir
I briodi Juliet? Ai dyma 'ddwedodd-o?
Neu, tybed mai breuddwydio'r ydwyf? Neu, –
Os **oedd**-o'n ceisio sôn am Juliet,
Ai amwyll wyf yn galw y peth i gof?
Gyfaill! Rho im dy law, mae'n henwau mwy
I lawr yng nghyfrol siomiant chwerw ynghyd.
Fe'th gladdaf di mewn gogoneddus fedd.
Bedd? Na! – goleudy'n awr, laddedig lanc.
Y mae prydferthwch Juliet yn troi'r bedd
Yn wledd-ystafell olau, yn gain i gyd.
Lanc marw, – gorwedd yna: gŵr marw a'th gladd.
(Dyd Paris i orwedd yn y beddrod)
Mor fynych y mae dynion ar fin marw
Yn mynnu ysmalio! Mellten yn drogan tranc
Yw hynny, meddir. Ond, a allaf fi
Alw hynyma'n fellten? O, f 'anwylyd,
Ni chafodd Tranc, er sugno d'anadl fêl,

Ddim gafael ar dy degwch hyd yn hyn.
Anorchfygedig wyt. Mae fflag prydferthwch
Yn cadw'i gochni gwridog yn dy fin
Ac ar dy foch, a baner welw Tranc
Hyd yma'n methu'n lân â chario'r dydd!
Tubolt, – 'wyt tithau'n gorwedd y fan yma
Yn d'amdo waedlyd? O, pa ffafr â thi
Sydd mwy yn bosibl im ond gado i'r llaw
'Roes derfyn ar dy ienctid di roi pen
Ar eiddo'i pherchen, sef dy elyn gynt?
O, maddau i mi, fy nghâr! Ha, Juliet fwyn, –
Pa fodd 'rwyt ti'n parhau mor deg? A ŵyr efô, –
Yr ansylweddol Angau, – am swynion serch?
A yw'r anghenfil ffiaidd yn dy gadw
Dan lenni'r gwyll yn 'gariad' iddo'i hun?
Rhag ofn peth felly, arhosaf gyda thi
Ym mhlasty'r Nos heb fyth ymado mwy.
Yma'r arhosaf, gyda'r genwair bryfed
Sy'n llawforynion iti. O, dyma'r fan
'Ddewisaf yn dragwyddol orffwys im,
Gan ysgwyd ymaith iau gwrthnysig sêr
Oddi wrth fy nghnawd blinderog. Lygaid, dowch,
A syllwch am yr olaf dro. Chwithau, ddwy fraich,
Cofleidiwch y waith ola': ac O, wefusau mau,
Chwi anadl-ddorau'n awr, â chusan glân,
Seliwch gytundeb bythol, – bargen hael –
I foddio chwant yr Angau di-droi'n ôl.
Tyrd, lywydd atgas; tyrd, arweinydd dreng,
Tyrd beilot desprad, canys daeth yr awr,
Ac ar y creigiau di-drugaredd gyrr –
Heb oedi 'chwaneg – dy flinedig fad . . .
I'm cariad! *(Yf y gwenwyn)*
O wych apothecari!
Hydreiddiol drwyth! . . . 'Rwy'n marw, – â'r cusan hwn.

(Syrth)

Enter Y BRAWD LORENS *gyda lantern, trosol a rhaw.*

Y Brawd San Ffransis a'm hyrwyddo! Pa sawl gwaith
Y syrthiais ar y beddau yn y gwyll? –
Ho! pwy sy'n dod?

Balthasar 'Rwy'n un o'ch ffrindiau, syr.

Y Brawd A bendith arnat. Dywed tithau'n awr,
Pa ffagl sy draw'n gwastraffu golau'n hurt

Ar gynrhon a phenglogau? I'm tyb i,
Goleuni yng nghladdfa'r Capwletiaid yw.

Balthasar
Ie, dyna'r gwir, barchedig syr; ac yno
Mae'r meistr eiddof, gŵr a gerwch chwi.

Y Brawd
Pwy ydyw?

Balthasar
Romeo.

Y Brawd
Ac yno ers pryd?

Balthasar
Ers hanner awr.

Y Brawd
Tyrd ato gyda mi.

Balthasar
Ni feiddiaf ddod: ni ŵyr ef amgen, syr,
Na'm bod ymhell oddi yma erbyn hyn;
Ac fe'm bygythiodd â marwolaeth erchyll
Pe ceisiwn weld ei weithrediadau-ef.

Y Brawd
O'r gorau, mentraf hebot. Nerfus wyf,
Rhag ofn darganfod rhyw anwybod wae.

Balthasar
A mi dan frigau'r ywen draw ynghwsg,
Breuddwydiais fod fy meistr ac un arall
Yn ymladd, ac i'm meistr ladd y llall.

Y Brawd
Romeo!
(Mae'n mentro ymlaen, ac yn plygu i edrych ar y gwaed a'r arfau)
Och fi! Pa waed sy'n staenio'r llawr
O gylch y beddrod hwn? Pa beth sy'n bod,
Pan yw'r cleddyfau di-berchennog hyn
Yn gorwedd, ar gwrr bedd, yn goch eu lliw?
(Â i mewn i'r beddrod)
Romeo! Ac O, mor welw! Pwy arall? Paris hefyd
Yn llaith gan waed! Och, pa ryw ddiffaith awr
Sy'n euog o'r galarus helynt hwn?
Mae hithau'n deffro?

(Ymgyfyd JULIET)

Juliet
O, ffrir cysurol! P'le mae f'arglwydd-i?
'Rwy'n cofio'n iawn ym mhle yr wyf i fod,
Ac yno'r wyf. P'le mae fy Romeo?

(Lleisiau draw)

Y Brawd 'Rwy'n clywed lleisiau, arglwyddes. Dowch, ar frys,
O nythle haint a thranc a dieithr gwsg.
Gan rym rhy fawr i'w herio gennym ni,
Dyryswyd ein bwriadau. Dowch; O dowch:
Mae Romeo'n gorwedd yn eich côl yn farw,
A Pharis hefyd. Dowch, – caf le i chwi
Mewn cwfaint o leianod duwiol. Dowch!
Na cheisiwch holi. Clywch sŵn traed y gwylwyr.
Dowch Juliet fwyn. Ni feiddiaf oedi'n hwy.

Juliet Dos: ffwrdd â thi; cans nid af fi o'r fan.
(Exit Y BRAWD)
Pa beth! Ai ffiol sydd yn llaw f 'anwylyd?
Ie, gwenwyn barodd ei anhymig dranc.
Y cnaf! yn mynd heb ado dafn i mi
Yn help i'th ddilyn! Purion. Fe'th gusanaf:
Os oes **peth** gwenwyn ar dy finion fyth,
Mi gaf adferydd triw yn foddion tranc!
(Rhydd gusan iddo)
Mae dy wefusau'n gynnes!

(Daw MACWY'R COWNT PARIS i mewn i'r fynwent gyda Gwylwyr, draw)

Gwyliwr I Dwêd, lanc. Pa ffordd.

Juliet Lleisiau, ai e? Rhaid brysio! O, ddager hwylus!
(Mae'n cipio dager ROMEO)
Dyma dy wain, Hedd it, – ac angau i mi.

(Mae'n ei stabio'i hun ac yn syrthio ar gorff ROMEO)

(Enter y MACWY a'r Gwylwyr)

Macwy Ie, dacw'r fan: draw lle mae golau'r ffagl.

Gwyliwr I Mae'r llawr yn waed i gyd. Chwiliwch y fynwent.
Ewch, ac os gwelwch rywun, deliwch ef.
(Exeunt rai o'r gwylwyr)
Poenus olygfa! Dyma'r Cownt yn gorff, –
A Juliet newydd farw, â'i gwaed yn lli,
'N ôl gorwedd ddeuddydd yn y beddrod hwn.
Ewch, gwysiwch y Tywysog, ac 'run modd
Deuluoedd Cápwlet a Móntagiw.
Gwnaed eraill ymchwil manwl yma a thraw.
(Exeunt eraill o'r Gwylwyr)
Gwelaf y tir y mae'r gofidiau hyn
Yn gorwedd arno, ond heb wybodaeth well,

Ni allaf 'weld' y **cefndir** trist yn iawn.

(Daw rhai o'r gwylwyr yn ôl gyda BALTHASAR)

Gwyliwr II Dyma was Romeo. Fe'i cawsom yn y fynwent.

Gwyliwr I Wel, gwyliwch-ef, nes i'r T'wysog ddod.

(Daw gwyliwr arall i mewn gyda'r BRAWD LORENS)

Gwyliwr III Offeiriad ydyw hwn; mae'n crynu ac wylo.
'Roedd ganddo gaib a rhaw, – a dyma nhw. –
O'r ochor hon i'r fynwent, 'roedd o'n dod.

Gwyliwr I Ffaith awgrymiadol! Felly, gwylier ef.

(Enter y TYWYSOG a'r Gwas'naethyddion)

Y Tywysog Pa ryw anghaffael blin, mor fore â hyn,
A'm geilw oddi wrth fy ngorffwys?

(Enter CÁPWLET a'i wraig, ac eraill)

Cápwlet Beth sy'n bod?
A beth sy'n cael ei sgrechian yn y stryd?

'R Arglwyddes C Mae rhai o'r bobl yn gweiddi "Romeo",
Rhai "Juliet", a rhai "Paris": y cwbl oll
Mewn cyffro'n rhedeg tua'r beddrod hwn.

Y Tywysog Pa helynt weithion sy'n brawychu'r clyw?

Gwyliwr I Dywysog, mae'r Cownt Paris yma yn gorff:
Romeo 'run modd; a Juliet, oedd farw o'r blaen,
Yn gynnes, ddim ond newydd gael ei lladd.

Y Tywysog Wel, ceisiwch dreiddio at wraidd y mwrdrad erch.

Gwyliwr I Daliasom y ffrir hwn, a gydag-ef
Was y trancedig Romeo. 'Roedd y ddau
A chanddynt offer addas i ddat-gloi
Beddrodau'r meirwon hyn.

Cápwlet Yr arswyd fawr! –
Fy mhriod – dyma ein merch â'i gwaed yn lli!
Rhaid fod y ddager wedi drysu'n llwyr:
Mae'i lle arferol, ar gefn Romeo, yn wag,
A gwnaeth ei chartre' yn mynwes f'annwyl ferch!

'R Arglwyddes C Och fi, mae cip ar wyneb Tranc, fel cloch
Yn gwysio fy hen ddyddiau parth â'r bedd.

(Enter MÓNTAGIW ac eraill)

Y Tywysog Tyrd, Fóntagiw, 'rwyt wedi codi'n fore, –
Ond mae dy fab a'th aer i lawr o'th flaen.

Móntagiw F'arglwydd, gwae fi, – yn ystod y nos hon
Bu farw 'mhriod a fu'n poeni ynghylch
Ein halltudiedig fab. Pa wae sy'n awr
Yn bygwth chwerwi mwy ar hwyrddydd f'oes?

Y Tywysog Edrych, a thi gei weld.

Móntagiw *(Ar ôl syllu)* Och, fab di-addysg! Onid gwrthun yw
Rhuthro fel hyn o flaen dy dad i'r bedd?

Y Tywysog Boed genau dwyster ing yn fudan dro,
Nes inni glirio'r amwysterau hyn,
Olrhain eu tarddiad, un ac oll, a'u twf;
Caf wedyn dywys eich gofidiau i'r gad,
A'ch arwain, ie hyd angau. Yn y cyfamser,
Boed profedigaeth dan reolaeth pwyll.
Dygwch y rhai sydd yn y ddalfa ymlaen.

(Mae'r Gwylwyr yn dwyn Y BRAWD LORENS a BALTHASAR gerbron)

Y Brawd Myfi yn anad neb, er gwanned wyf,
Sydd dan amheuaeth yma ar hyn o bryd
Ynglŷn â'r mwrdrad enbyd hwn. Mae'r lle,
A'r amser hefyd, fel pe baent yn f'erbyn.
'Rwy'n sefyll yma i'm heuocáu fy hun,
Ac eto i'm cyfiawnhau fy hun 'run modd.

Y Tywysog Dywed y cwbl a wyddost yn ddi-oed.

Y Brawd O'r gorau, yn fyr, cans nid yw'r hyn sy'n ôl
O'm hoedl yn awr ddim cŷd â chwedl ddi-flas.
'Roedd Romeo, sy acw'n farw, yn ŵr i Juliet;
'Roedd hithau, sy acw'n farw, i Romeo'n wraig.
Myfi a'u priododd. Bu lladradaidd ddydd
Eu priodas hwy'n Ddydd Barn i Dubolt draw, –
Anhymig dranc yr hwn oedd achos clir
Alltudio Romeo, newydd briodi, o'r dref;
Ac nid am Dubolt ond am Romeo, ei gŵr,

'Roedd Juliet yn dihoeni. A chwithau'n awr
Er mwyn esmwytho'i chur, 'fynasoch roi
Gorfodaeth arni i addo bod yn wraig
I'r Cownti Paris. Yna, i'm capel i
Yn wyllt ei threm y daeth, ac archodd im
Ddyfeisio modd neu gynllun i osgói
Yr ail-briodas hon; cans, onid e,
'Roedd am ei lladd ei hun ar lawr fy nghell.
Yna, rhois iddi, (ar sail meddygol ddawn),
Gyffur i gymell trymgwsg hir: a gwnaeth
Y trwyth ei waith, gan osod arni ffurf
Marwolaeth rithiol. Yn y cyfamser hwnnw,
Anfonais air yn erchi i Romeo
Ddod yma i'm helpu, y nos bryderus hon,
I'w chludo i ffwrdd o'i benthyciedig fedd,
Erbyn yr awr y collai'r trwyth ei rym.
Ond, herwydd anffawd, rhwystrwyd y Brawd Siôn –
– Fy ffrind – rhag mynd â'r llythyr, ac fe'i dug
Neithiwyr, yn ôl i'm tŷ. Minnau, at awr
Rhag-benodedig ei deffroad hi,
'Ddeuthum, fy hun, i'w symud o'r fan hon,
O gladdfa'i cheraint, i ddirgelfa 'nghell.
A'm bwriad wedi hynny oedd anfon gair
At Romeo; ond pan gyrhaeddais yma,
Ryw orig fer cyn awr ei deffro hi,
Gwelwn, ar lawr yn farw – anhymig farw –
'R ardderchog Baris a'r ffyddlon Romeo.
Ar hyn, mae hithau'n deffro; a chrefais arni
Ddod ymaith, gan gydnabod gwaith y Nef
Yn wylaidd, amyneddgar. Ond yn awr,
Mi glywais sŵn, a dianc yn fy mraw.
Hithau, gan faint ei hing, ni fynnai ddod;
Ond gwnaeth, mae'n debyg, ddiwedd arni ei hun.
Hyn oll a wn; a gŵyr y Nyrs bob peth
Ynglŷn â'r briodas. Eithr, os ceir fod bai
Am unrhyw gyfeiliornad arnaf fi,
Cyflwyner gweddill fy hen ddyddiau'n awr
Yn aberth i gyfiawnder eitha'r ddeddf.

Y Tywysog Gŵr duwiol ydwyt i'm tyb i, erioed.
P'le mae gwas Romeo? Beth 'ddywaid ef?

Balthasar Myfi roes wybod i'm meistr, ym Mántiwâ,
Fod Juliet wedi marw. Yntau'n ddi-oed

Ddaeth yma, i'r fynwent hon. Gorchmynnodd im
Roi'r llythyr hwn, y cyfle cynta', i'w dad;
A'i siars i mi, wrth fynd i mewn i'r beddrod,
Oedd, "Dos, ac os dychweli, lladdaf-di".

Y Tywysog

Rho'r llythyr i mi: 'rwyf yn dymuno'i weld.
Pa le mae gwas y Cownt – y macwy hwnnw
Aeth i nôl y Gwylwyr? Doed ymlaen.
(Daw'r MACWY gerbron)
Pam, syre, y daeth eich meistr i'r fan hon?

Macwy

Dod yma i wasgar blodau yr oedd ef,
Ar feddrod ei ddyweddi. Ciliais draw
Pan archodd im; ond toc, mi welwn ddyn
A golau ganddo yn dod i'r lle. Ar hynny
Fe glywn fy meistr, â'i gledd, yn herio'r dyn;
A rhedais yn ddi-oed i'r dref am help.

Y Tywysog

Mae llythyr Romeo yn gwirio geiriau'r Brawd
Am ddirfawr serch y ddau, a'i hangau hi.
Mae'n dweud y modd y prynodd Romeo drwyth
Gan dlawd apothecari, ac fel y daeth,
Â'r gwenwyn hwnnw ganddo, i'r fynwent hon,
I farw, a gorwedd gyda Juliet.
P'le mae'r ddau elyn? Cápwlet: Móntagiw?
Meddyliwch â'r fath fflangell, yma'n awr,
Y cosbir eich casineb, pan yw'r Nef
Fel petai wedi ffeindio'r modd i ladd
Eich annwyl blant â chariad. Minnau,
Trwy gau fy llygaid ar eich cecru cŷd,
A gollais ddau o'm ceraint. Cosbwyd pawb.

Cápwlet

O, Móntagiw, fy mrawd, rho im dy law;
Hon yw priodas-gyfran f 'annwyl ferch:
Ni allaf hawlio mwy.

Móntagiw

Ond 'rwyf yn abl
I roddi 'chwaneg it. Cans archeb rof
Am gerflun hardd o Juliet mewn aur pur,
Fel, tra bo'r enw Verona ynghlwm â'n tref, –
Na pherchir unrhyw ddelw o'i mewn yn fwy
Nag eiddo'r ffyddlon-gywir Juliet.

Cápwlet

Caiff delw Romeo fod yr un mor hardd, –
Dau offrwm tlawd ein maith elyniaeth ni.

Y Tywysog Heddiw, tangnefedd trist yw rhodd y wawr:
Mae yntau'r haul yn cuddio'i wyneb prudd.
Ewch, a thrafodwch y drychineb fawr.
Daw cosb i rai: i eraill, pardwn fydd.
Cans ni fu stori dristach ers cyn co',
Na stori Juli-et a Rome-o.

LLEN

BID WRTH EICH BODD

BID WRTH EICH BODD

Y CYMERIADAU

Dug, yn byw mewn alltudiaeth
Ffredrig, brawd y dug, a thrawsfeddiannwr ei diriogaeth
Amiens
Jaques } arglwyddi, cymdeithion y Dug alltud
Le Beau, gŵr llys, yn gweini ar Ffredrig
Olifer
Jaques } meibion Syr Roland de Bois
Orlando
Eudaf
Dennis } gweision Olifer
Touchstone, clown
Syr Olifer Martext, ficer
Corin
Silvius } bugeiliaid
Wiliam, crymffast gwladaidd, mewn cariad ag Audrey
Person yn cynrychioli Heimen
Rosalind, merch y Dug alltud
Celia, merch Ffredrig
Phebe, bugeiles
Audrey, llances wladaidd
Arglwyddi, o deuluoedd y ddau ddug, **Macwyaid, fforestwyr a gwasanaethyddion**

ACT I

GOLYGFA I
Perllan gerllaw tŷ Olifer

Enter ORLANDO ac EUDAF

Orlando Ac yn y modd hwnnw, 'rwy'n cofio, Eudaf, gadawodd fy nhad i mi ryw fil o gronau yn ei 'wyllys, a siarsio 'mrawd, fel y d'wedi, er mwyn ei fendith, i'm magu'n briodol. A dyna wraidd fy ngofid. Mae-o'n cadw fy mrawd Jaques yn y coleg, ac mae yntau – yn ôl pob hanes – yn llwyddo'n wych; ond amdanaf fi, fe'm ceidw gartref yn ddiymgeledd, neu, a siarad yn fanylach, nid yw'n fy nghadw o gwbwl: oblegid, ai teilwng o'm tras, meddi di, yw'r math o fagwraeth a roddir i fustach? Mae-o'n trin ei geffylau'n well lawer. Mae'r rheiny nid yn unig yn borthiannus ond yn cael eu dysgu'n effeithiol hefyd, ac yntau'n talu'n ddrud i wastrodwyr am y gwaith. Ond nid wyf fi, ei frawd ei hun, yn ennill dim tano ond tyfiant, ac mae anifeiliaid y buarth yr un mor ddyledus iddo am hynny ag wyf innau. Heblaw'r 'dim byd' hwn a roddir imi mor hael, mae'i agwedd fel pe'n f 'ysbeilio o'r cwbwl a gefais gan natur: mae'n gwneud imi fwyta yng nghwmni gwehilion, yn gwrthod fy mharchu fel brawd, ac yn ceisio'i orau, trwy gam-addysg, fy nhroi'n daeog a di-doriad. Dyna fy ngofid, Eudaf, a chredaf fod ysbryd fy nhad ysydd ynof yn f 'annog i wrthryfela yn erbyn y gormes hwn. Ni allaf ei oddef yn hwy, er na wn – hyd yn hyn – am unrhyw ddull doeth i'w osgoi.

Eudaf Dacw fy meistr, eich brawd, yn dŵad.

Orlando Dos, o'r neilltu, Eudaf, a chei'i glywed yn codi fy ngwrychyn.

Enter OLIFER

Olifer Hai, syr, beth 'wnei di yma?

Orlando Dim; ni'm dysgir i **wneud** unrhyw beth.

Olifer Beth wyt-ti'n ei **ddad**-wneud, ynteu?

Orlando O, syr, 'rwy'n dy helpu di i ddad-wneud rhan o waith Duw, sef y brawd annheilwng eiddot, trwy ddiogi.

Olifer Os felly, gwna rywbeth rheitiach, a dos o'r golwg am dipyn.

Orlando I borthi dy foch, mae'n debyg, a bwyta cibau. Pa gyfran afradlon a weriais, i'm dwyn i'r fath dlodi?

Olifer A wyddost-ti ple'r wyt-ti, syre?

Orlando Yn eithaf da, syr; yn dy berllan di.

Olifer A cher bron pwy? 'Wyddost-ti hynny?

Orlando Gwn, syr, yn well nag y gŵyr y sawl sydd o'm blaen pwy wyf fi. Mi wn mai tydi yw 'mrawd hynaf; ac o ran tynerwch gwaed – fel brawd y dylit fy 'nabod innau. O ran cwrteisi traddodiad, 'rwyt yn well na mi, gan mai ti yw'r cyntaf-anedig; ond ni all y cyfryw draddodiad ddirywio 'ngwaed, petai ugain o frodyr rhyngom. Mae cymaint o'm tad ynof fi ag sydd ynot tithau, er bod dy eni'n gynt yn dy osod yn nes i'w barch.

Olifer Felly'n wir, y crwt.

Orlando 'Rŵan, 'rŵan, frawd hynaf, 'rwyt tithau'n rhy ifanc yn hyn.

Olifer Tyn dy ddwylo oddi arnaf, y bilain.

Orlando Nac-e, nid bilain, ond mab ieuengaf Syr Roland de Bois. Ef oedd fy nhad, a bilain deirgwaith yw'r sawl a dd'wedo i'm tad genhedlu bileiniaid. Oni bai dy fod yn frawd imi, ni thynnwn fy llaw dde o'th wddf nes i'm llaw arall dynnu dy dafod o'r gwraidd am ddweud y fath beth. Fe'th waradwyddaist dy hun!

Eudaf Fy meistri annwyl, amynedd! O barch i'ch tad, byddwch gytûn!

Olifer Gollwng fi, meddaf.

Orlando Na; mae'n rhaid iti wrando. Fe'th siarsiodd fy nhad yn ei 'wyllys i roi tipyn o addysg imi, ond fe'm triniaist fel taeog, a chadw pob braint fonheddig oddi wrthyf. Mae ysbryd fy nhad o'm mewn yn condemnio'r cam, ac nis dioddefaf yn hwy; ac felly, rho gyfle imi fyw yn deilwng o'm tras, neu trosglwydda'r gwaddol a adawodd fy nhad i mi: af innau i ffwrdd a chymryd fy siawns.

Olifer Ac wedi gwario dy gyfran, – cardota mae'n debyg? Wel, syr, 'mewn â thi. Ni phoenaf yn dy gylch ryw lawer yn hwy. Fe drosglwyddaf beth o'r arian iti: paid tithau â'm blino ddim 'chwaneg.

Orlando 'R un mymryn mwy nag sy'n rhaid imi er fy lles.

Olifer Dos dithau gydag ef, 'r hen gostog.

Eudaf Hen gostog! Ai dyna fy ngwobr? Mae'n wir imi golli fy nannedd yn eich gwasanaeth. Coffa da am fy hen feistr. 'Ddywedasai ef mo'r fath air.

Exeunt ORLANDO ac EUDAF

Olifer Felly'n wir! 'Wyt ti'n dechrau mynd yn hy arnaf? Mae gennyf ffisig a'th fendia'n bur sydyn; ac ni chei ddim o'r mil cronau chwaith. Hy-lo, Dennis!

Enter DENNIS

Dennis 'Oeddech-chi'n galw, syr?

Olifer Onid oedd Siarl, rhyswr y Dug, yn gofyn am air â mi?

Dennis Mae'n aros gerllaw, syr, ac yn awyddus i'ch gweld.

Olifer Dwg ef yma. *(Exit DENNIS)*. Bydd yn burion dull; mae'r 'maflyd codwm yfory.

Enter SIARL

Siarl Dydd da, syr.

Olifer Wel, meistr Siarl, beth yw'r newydd newyddaf o'r newydd lys?

Siarl 'Does fawr newydd o'r llys, syr, ond yr hen newydd. Alltudiwyd yr hen Ddug gan ei frawd iau, y Dug Ffredrig, a mynnodd tri neu bedwar o arglwyddi rhadlon fod yn gyfrannog o'i alltudiaeth. Trawsfeddiannwyd eu cyfoeth a'u tiroedd hwythau gan y Dug newydd; ac o'i ran ef cânt grwydro cyn belled ag y mynnont.

Olifer 'Gafodd Rosalind, merch yr hen Ddug, ei halltudio gyda'i thad?

Siarl O naddo. Mae merch y Dug Ffredrig, ei chyfnither, yn hoff eithriadol ohoni, oherwydd eu magu ynghyd o'u babandod; a mynnai fynd gyda-hi i alltudiaeth neu farw o hiraeth ar ei hôl. Felly, mae Rosalind eto'n y llys, ac mor annwyl i'w hewythr ag i'w chyfnither, ei ferch. 'Fu 'rioed ddwy lances mor hoff o'i gilydd â hwy.

Olifer Ymhle mae'r hen Ddug am gartrefu?

Siarl 'Rwy'n deall ei fod eisoes yng nghoedwig Arden, a swrn o gyfeillion diddan gydag ef, yn byw ac yn bod yn null Robin Hwd. Clywais hefyd fod ein gŵyr ieuainc bonheddig yn mynd ato'n lluoedd bob dydd; ac yno y maent, yn gwario'r amser ynghyd, yn ddedwydd-ddiofal, fel pobl yr oes aur gynt.

Olifer Wel, dywed i mi, 'wyt ti'n 'maflyd codwm yfory ger bron y Dug newydd?

Siarl Yn bendifaddau, syr; ac i sôn am hynny y deuthum atoch. Mi glywais yn ddistaw bach, fod eich brawd ieuengaf, Orlando, yn bwriadu dod yno, yn rhith dieithryn, i ymladd â mi. Yfory, syr, byddaf wrthi o ddifrif, rhag colli f 'enw da fel codymwr, a ffodus dros ben fydd y neb a'm herio'n ddi-anaf. Nid yw eich brawd, syr, ond ieuanc a thyner, ac o'm serch atoch chwi, byddai'n ddrwg gennyf frifo'r llanc; ond er fy mwyn fy hun, ni allaf beidio os mentry ymlaen. Ac felly, o wir barch atoch y deuthum yma i siarad am hyn: cewch chwithau naill ai perswadio'r llanc i ymatal neu wynebu'r gwarth anochel a ddaw arno. Mae'r cwbl yn tarddu o'i fympwy ef ei hun, ac yn hollol groes i'm dymuniad i.

Olifer 'Rwyt yn wir garedig, Siarl, ac mi dalaf yn ôl iti'n anrhydeddus. Gwyddwn eisoes am fwriad fy mrawd, a gwneuthum fy ngorau, yn gyfrinachol, i'w berswadio i ymatal; ond mae'n rhy benderfynol. Coelia fi neu beidio, Siarl, – dyma'r llanc mwyaf penstiff yn Ffrainc achlân. Mae'n uchelgeisiol tu hwnt, yn genfigennus o gampau dynion eraill, ac yn llawn 'strywiau mileinig yn f 'erbyn i, ei frawd ei hun. Felly, rho dy feddwl ar waith. O'm rhan i, ni'm dawr pe torrit ei wddf mwy na thorri ei fys. Er mwyn popeth, cymer ofal; oblegid, os dygi'r mymryn lleiaf o warth ar ei enw, neu os metha ganddo â'th drechu'n gyfangwbl, fe gais ymddial arnat â gwenwyn neu unrhyw ddyfais fradwrus arall, ac ni phaid â thi nes dy ladd mewn rhyw ddull gwyrgam neu'i gilydd; canys cofia hyn, (ac mewn tristwch y'i dywedaf), dyma'r gŵr ifanc mwyaf dieflig sydd heddiw'n fyw. Fel brawd iddo'n unig y llefaraf; ond pe'i disgrifiwn yn fanwl fel y mae, ni allwn i lai na gwladeiddio ac wylo, na thithau lai na gwelwi a rhyfeddu.

Siarl Mae'n dda fy mod wedi cael cael gair â chwi. Os ymddengys eich brawd yfory, fe'i triniaf yn ôl ei haeddiant; ac os llwydda i rodio'n ddi-gymorth ar ôl imi orffen ag ef, ni cheisiaf na chlod na gwobr byth mwy. Dydd da, syr.

Olifer Dydd da, Siarl. *(Exit SIARL.)* Yn awr af innau i annos y gamster hwn: a gobeithio y gwelaf roi diwedd arno. Mae f 'enaid – ni wn pam – yn ei gasáu yn fwy na dim. Eto, mae'n foneddigaidd ei naws, ac er nas addysgwyd erioed, mae'n wybodus, yn llawn cwrteisi teg, yn ennill edmygedd pob math o bobl, ac yn swyno calon y byd i'r fath raddau, yn enwedig fy mhobl fy hun sy'n ei 'nabod orau, nes fy nhaflu yn llwyr i'r cysgod. Ond byr fydd parhad hyn oll. Caiff Siarl glirio popeth. Bellach, 'does dim i'w wneud ond porthi rhyfyg y bachgen, ac af ati'n ddi-ymdroi.

Exit

GOLYGFA II

Lawnt o flaen plas y Dug.

Enter ROSALIND *a* CELIA

Celia Da thi, Rosalind annwyl, cais fod yn llawen.

Rosalind 'Rwyf eisoes, Celia, yn dangos mwy o lawenydd nag a deimlaf, ac a fynnit fy ngweld yn llonnach fyth? Os na fedri 'nysgu fi sut i anghofio 'nhad, sy'n alltud, 'waeth iti heb â sôn wrthyf am unrhyw bleser neilltuol.

Celia Mae'n amlwg, felly, fod dy gariad ataf yn llai angerddol na'm serch atat ti. Pe bai dy dad, sy'n alltud, wedi alltudio'r Dug, fy nhad i, a minnau'n cael aros yn dy gwmni, mi ddysgwn fy serch i dderbyn dy dad yn dad i minnau; ac fe wnaethit tithau'r un modd, pe bai rhin dy serch tuag ataf mor bur â'm serch atat ti.

Rosalind Wel, mi geisiaf anghofio fy stad fy hun, a llawenhau yn dy gyflwr di.

Celia Fe wyddost nad oes blentyn i'm tad ond myfi, na'r un yn debyg o fod; ac ar fy ngwir, wedi iddo farw, cei di fod yn aeres iddo, a'r cwbl a ddug ef oddi ar dy dad trwy drais, fe'i dychwelaf i ti trwy gariad. Myn f 'enaid, 'rwy'n addo gwneud hynny, – ac os byth y torraf fy llw, tröer fi'n anghenfil. Ac felly, fy Rosalind annwyl, bydd lawen.

Rosalind O hyn ymlaen, Celia, mi fyddaf; mi ddyfeisiaf adloniant. Aros di, – beth 'ddwedit pe syrthiwn mewn cariad?

Celia Ie'n wir, gwna: hynny yw, fel adloniant; ond paid â charu unrhyw ddyn o ddifrif, na dim pellach mewn 'smaldod chwaith nag y gelli, trwy swildod pur, ddod allan yn barchus o'r rhwyd.

Rosalind Wel, ynteu, pa ddifyrrwch a gawn?

Celia Eisteddwn i lawr, a chyffroi'r hen wreigdda Ffawd oddi wrth ei rhod, nes gwneud iddi wasgar ei doniau'n decach o hyn ymlaen.

Rosalind O na fai'n bosibl gwneud hynny: mae Ffawd yn rhannu'i bendithion mor annheg, yn enwedig ei rhoddion i ferched.

Celia Eithaf gwir; mae'r merched sy'n dlws fel rheol yn anonest, a'r merched sy'n onest fel rheol yn hyll.

Rosalind O, 'rwyt-ti'n cymysgu Ffawd a Natur yn awr. Rhoddion y byd, nid arluniaeth Natur, sydd dan reolaeth Ffawd.

Enter TOUCHSTONE

Celia Na: pan lunio Natur ferch dlos, oni all honno, trwy ddrwg ffawd, syrthio i'r tân? Ac er i Natur ein bendithio ni â ffraethder i ddirmygu Ffawd, onid Ffawd sy'n anfon y ffŵl hwn i roi pen ar ein dadl?

Rosalind Ydi, mae Ffawd yn rhy galed ar Natur ambell dro. Dyma hi yn gwneud i un o ffyliaid Natur roi pen ar ffraethder naturiol.

Celia Ond tybed nad gwaith Natur ydi hyn wedi'r cwbl, ac nid gwaith Ffawd? 'Roedd-hi'n gweld bod crebwyll naturiol yn rhy ddwl i resymu ynghylch y duwiesau, ac anfonodd y ffŵl hwn i fod yn faen hogi ffraethineb. A thithau, ŵr ffraeth, i ble'r wyt-ti'n crwydro?

Touchstone Meistres, rhaid ichwi ddod i ffwrdd at eich tad.

Celia Ac fe'th wnaed ti yn negesydd?

Touchstone Naddo, myn f'anrhydedd, ond archwyd imi frysio i'ch nôl.

Rosalind Myn f'anrhydedd, ple dysgaist-ti lw fel yna?

Touchstone Gan ryw ŵr o farchog a dyngai ar ei anrhydedd fod y crempog yn dda ac a dyngai ar ei anrhydedd fod y mwstard yn ddrwg. Ond daliaf innau mai'r crempog oedd yn ddrwg a bod y mwstard yn dda, – ac eto i gyd ni chondemniwyd y marchog.

Celia Sut, ym mhentwr dy wybodaeth, y gelli brofi dy bwynt?

Rosalind Ie, tyrd, dangos dy ddoethineb.

Touchstone Wel, sefwch i fyny eich dwy; anweswch eich dwy en, a thyngwch ar eich barfau 'mod i'n gnaf.

Celia Ar ein barfau, pes meddem, cnaf wyt.

Touchstone Ar fy nghnafeiddiwch, pes meddwn, cnaf fyddwn; ond os tyngwch ar beth nad yw'n bod, ni'ch condemniwyd; ac felly'r marchog wrth dyngu ar ei anrhydedd, gan nas meddai; neu, os meddai, fe'i tyngasai i ffwrdd cyn gweld y crempog na'r mwstard erioed.

Rosalind A phwy oedd y marchog, atolwg?

Touchstone O; un a gerid yn fawr gan eich tad.

Rosalind Wel, mae cariad fy nhad yn ddigon i'w anrhydeddu. Ond paid â sôn rhagor am hyn, – rhag cael dy chwipio am ddiffyg cwrteisi.

Touchstone Mae'n resyn o beth na chaem ni sy'n ffyliaid siarad yn gall am ffolineb gwŷr doeth.

Celia Yn wir, 'rwyt-ti'n iawn. Er pan roed taw ar dipyn synnwyr y ffyliaid, mae tipyn ffolineb gwŷr doeth yn tynnu gormod o sylw. Ond dyma Monsieur le Beau!

Rosalind A llond ei geg o newyddion.

Celia I'w lluchio atom, – fel 'sguthan yn bwydo'i rhai bach.

Rosalind Cawn ein pesgi â newyddion, mae'n debyg.

Celia Gorau'n y byd: bydd ein graen yn well ar gyfer y farchnad.
Enter LE BEAU
Bon jour, Monsieur le Beau: pa newydd?

Le Beau F'arglwyddes gain – collasoch sbort campus.

Celia Sbort? O ba liw?

Le Beau Pa liw, madam? Sut 'r wyf i'ch ateb?

Rosalind Fel y bo Crebwyll a Ffawd yn awgrymu.

Touchstone Neu fel y bo Tynged yn erchi.

Celia Campus! Dyna daenu'r gwirionedd â thrywel.

Le Beau 'Rwy'n methu â'ch deall, rianedd. Fy mwriad oedd sôn am 'maflyd codwm tra gwych y coll'soch y fraint o'i weld.

Rosalind Wel, gad inni glywed yr hanes.

Le Beau Mi ddwedaf hanes y dechrau; cewch chwithau, os dymunwch, weled y diwedd â'ch llygaid eich hun: oblegid, mae'r gorau eto i ddod; ac i'r fan hon lle'r ydych, y deuant i gystadlu.

Celia Wel, tyrd, – dwêd am y dechrau, sy'n farw ac a gladdwyd.

Le Beau Wele'n dynesu hen ŵr a'i dri mab –

Celia Mi wn am hen chwedl sy'n dechrau'n union fel yna.

Le Beau Tri gŵr ifanc, – campus eu twf a'u gosgedd –

Rosalind A rhybudd ar eu gyddfau – "Bydded hysbys i'r byd oddi wrth y presenolion hyn –".

Le Beau Mae'r hynaf o'r tri yn ymgiprys â Siarl, pencampwr y Dug; yr hwn Siarl a'i lloriodd mewn eiliad, gan ddryllio tair o'i asennau, a'i adael heb fawr obaith einioes. Fe loriodd yr ail yr un ffunud, ac wedyn y trydydd. Draw y gorweddant, a'r hen ŵr druan, eu tad, yn gwneud y fath alar o'u plegid – mae'r edrychwyr oll yn cyd-wylo ag ef.

Rosalind Gresynus yn wir.

Touchstone Ond pa ryw sbort a gollodd y merched?

Le Beau Yr wyf eisoes wedi sôn am hynny.

Touchstone Wel, – "Hwya' bo dyn fyw, mwya' 'wêl ac a glyw". 'Chlywais i 'rioed o'r blaen fod cracio 'sennau yn sbort i'r rhyw deg.

Celia Na finnau chwaith, yn siŵr iti.

Rosalind Ond a oes rywun eto'n dyheu am weld y miwsig toredig hwn yn ei ochrau? 'Oes rhywun arall yn chwennych ais-doriad? Gawn ninnau weld y 'sgarmes, Celia?

Le Beau Os oedwch lle'r ydych, bydd yn rhaid ichwi, canys dyma'r fan a ddewiswyd i'r pwrpas. Maent yn barod i berfformio.

Celia A dacw nhw'n dyfod, mae'n debyg. 'Waeth i ninnau aros i'w gweld.

Sain utgyrn. Enter Y DUG FFREDRIG, Arglwyddi, ORLANDO a gwas'naethyddion

Dug Ffredrig Dowch ymlaen. Os yw'r llanc yn gwrthod gwrando, – arno ef y mae'r bai.

Rosalind Ai dacw'r llanc?

Le Beau Ie, madam.

Celia O! mae'n llawer rhy ifanc! Ac eto mae golwg addawol arno.

Dug Ffredrig Oho! fy merch a'm nith! 'Does bosib' eich bod chwi am weld y codymu?

Rosalind Ydym, f 'arglwydd, os gwelwch yn dda.

Dug Ffredrig 'Chewch-chi fawr o fwynhad, 'rwy'n ofni; mae'r ddau mor anghyfartal. O wir dosturi at y llanc, mi geisiais ei ddarbwyllo; ond gwrthyd ymatal. Ewch ato, da chwi, rianedd, a cheisiwch ei argyhoeddi.

Celia Gelwch-ef yma, atolwg, Monsieur le Beau.

Dug Ffredrig Ie, gwnewch: af innau o'r ffordd. *(Â'r Dug o'r neilltu)*

Le Beau Monsieur sialensiwr, mae'r rhianedd yn galw arnoch.

Orlando Deuaf atynt, gyda phob gwrogaeth a pharch.

Rosalind Ai chwi sydd yn herio Siarl y codymwr?

Orlando Nac e, f 'arglwyddes; ef sy'n rhoi her gyffredinol. Dod yma 'rwyf fi, megis eraill, i roi praw ar gryfder fy mebyd.

Celia Ŵr dieithr, 'rych yn mentro gormod, a chwi mor ieuanc. Gwelsoch ddangosiad creulon o nerth y dyn hwn. Pe gwelech eich hun â'ch llygaid, a'ch 'nabod eich hun â'ch rheswm, byddai ofn yr antur yn eich cymell i dasg fwy cyfartal. Atolwg, er eich lles eich hun, mynnwch gofleidio diogelwch, a rhoi'r gorau i'r ymgais hon.

Rosalind Ie, ar bob cyfrif, ŵr ifanc: 'fydd neb yn meddwl dim llai ohonoch. Gyrrwn air at y Dug i atal y praw.

Orlando 'Rwy'n erfyn arnoch, peidiwch â'm cosbi â'ch taerineb. Mae'n gas gennyf siomi dymuniad rhianedd mor hynaws. Ond carwn i'ch llygaid gwiw a'ch dymuniad da fynd gyda-mi i'r praw. O'm trechir, ni ddaw gwarth ond ar un na fu 'rioed yn ffodus; o'm lleddir, ni bydd marw ond un sy'n fodlon i fod felly. Ni wnaf unrhyw gam â chyfeillion, cans nid oes neb i alaru o'm plegid, na cholled i'r byd, cans nid oes dim ar fy helw o'i fewn: yn unig 'rwy'n llenwi lle y gellid ei lenwi'n well pes gadewid yn wag.

Rosalind Y mymryn nerth sydd gennyf, O! na fai'n gymorth i chwi.

Celia A'm tipyn nerth innau at hynny.

Rosalind Rhwydd hynt ichwi: ac O! na'm siomech yr ochr orau!

Celia Dymuniad eich calon fo'n eiddoch!

Siarl Dowch: ple mae'r galawnt hwn sydd mor awchus i gofleidio'i fam-ddaear?

Orlando Dyma fo, syr; ond mae'n fwy cymedrol ei fryd na hynny.

Dug Ffredrig Ni chewch fentro ond un bowt.

Siarl Na, mi wrantaf eich gras, 'fydd dim angen ei annog yr eilwaith, ar ôl ei rybuddio mor daer y tro cyntaf.

Orlando Os bwriedwch fy ngwawdio'n ddiweddarach, ni ddylsech fy ngwawdio 'mlaen llaw. Ond weithion, hai ati!

Rosalind Rhoed Hergwl ei nerth it, ŵr ifanc!

Celia O! am gael troi'n anweledig, a chydio yng nghoes y dyn cydnerth.

(Mae SIARL ac ORLANDO yn ymaflyd)

Rosalind O! gampus ŵr ifanc!

Celia Petai t'ranfollt i'm trem, gallwn ddweud pwy sy'n disgyn er hynny.

(Cwympir SIARL. Cyffro a gweiddi)

Dug Ffredrig Dim chwaneg! Dim chwaneg!

Orlando Atolwg, eich gras, – nid wyf fi namyn dechrau.

Dug Ffredrig Ond Siarl, sut 'rwyt ti?

Le Beau Ni all siarad dim f 'arglwydd.

Dug Ffredrig Cludwch ef ymaith. *(Dygir SIARL allan)*
Beth yw d'enw, ŵr ieuanc?

Orlando Orlando, f 'arglwydd: mab ieuengaf Syr Roland de Bois.

Dug Ffredrig O, na baut fab i rywun ond efô.
'Roedd ef, ym marn y byd, yn fawr ei barch,
Ond gelyn anghymodlawn oedd i mi.
Rhyngasai d'orchest hon fy modd yn well
Pe baut yn hanfod o amgenach cyff.
Felly, ffar-wel. Er dewred bachgen wyt, –
Och! na soniasit wrthyf am dad arall!

(Exeunt y DUG FFREDRIG, LE BEAU, a'r dynion eraill)

Celia Fy nghares, petawn i yn lle fy nhad,
A wnaethwn i fel hyn?

Orlando 'Rwy'n falchach fyth mai mab Syr Roland wyf;
Ei fab ieuengaf. Ni newidiwn f'enw –
Ddim hyd yn oed pe'm gwnaethid yr un pryd
Yn aer i Ffredrig.

Rosalind *(wrth CELIA)* Carai fy nhad Syr Roland â'i holl enaid,
Ac 'roedd pawb arall o'r un farn ag ef.
Ni wyddwn i o'r blaen pwy oedd y llanc;
Ped amgen, cawsai 'nagrau helpu 'nghais
I'w atal rhag y fenter.

Celia Gares fwyn
Beth am fynd ato i'w ganmol a'i gefnogi?
Mae ysbryd cenfigennus, brwnt fy nhad
Yn loes i'm henaid.
(Wrth ORLANDO). Llongyfarchion, syr!
Gwnaethoch wrhydri – hwnt i bob disgwyliad.
Os cedwch addewidion serch mor siŵr,
Bydd gwynfyd i'ch cariadferch.

Rosalind Dirion syr
(Tyn gadwyn oddi ar ei gwddf, a'i rhoi iddo)
Derbyniwch hon – i'w gwisgo er fy mwyn.
Rhown gêd rhagorach, petai Ffawd a mi
Yn byw ar well telerau. 'Ddoi-di, gares?

Celia 'Rwy'n dod. Rhwydd hynt, foneddwr gwiwlan.

Orlando Ow! methu â dwedyd 'Diolch'! Fe ddymchwelwyd
Fy holl gynheddfau gorau: nid yw'r hyn
A saif fan yma namyn chwintan mud,
Neu foncyff marw.

Rosalind Ust! fe'n geilw yn ôl.
Collais fy malchder yr un pryd â'm ffawd:
Mi fentraf ofyn iddo. Eich pardwn, syr;
'Oeddych-chi'n galw? . . . Syr, wrth ymgodymu,
Fe wnaethoch rywbeth amgen, coeliwch fi,
Na dymchwel gelyn.

Celia 'Ddoi-di f'annwyl?

Rosalind Y funud hon. Wel, unwaith eto, yn iach!

(Exeunt CELIA a ROSALIND)

Orlando Pa gyffro dwys sy'n cloi'r gwefusau hyn?
Methwn â siarad: ond 'roedd hi, bid siŵr,
Yn rhoi pob cyfle. Orlando bach, mae Siarl –
Neu rywbeth gwannach – yn dy lethu di.

(Daw LE BEAU i mewn drachefn)

Le Beau Fwyn syr, 'rwy'n crefu arnoch, megis ffrind,
I ddianc o'r fan hon. Er haeddu ohonoch
Ganmoliaeth uchel, gyda serch a bri,
Mae'r Dug yn awr mor hynod ddrwg ei hwyl
Nes camddehongli eich doniau un ac oll.
Mae'n llawn dicllonedd: byddai'n haws i chwi
Ddychmygu'i gyflwr nag i mi'i ddarlunio.

Orlando Fy niolch, syr. Atolwg, dwedwch im
Pa un o'r ddwy a welais gynnau fach,
Oedd merch y Dug?

Le Beau O, nid yr un o'r ddwy – a barnu wrth foesau!
Ond y gwir yw mai'r ferraf oedd ei ferch,
A merch y Dug sy'n alltud ydyw'r llall:
Fe'i cedwir yma gan ei hewythr, syr,
Y trawsfeddiannydd hwn, yn gwmni i'w ferch.
Mae'r ddwy mor hoff o'i gilydd â dwy chwaer.
Ond gwn, i sicrwydd, fod y Dug, ers tro,
Yn coledd dicter at ei dyner nith,
A hynny heb unrhyw reswm onid hwn –
Bod pawb o'i chylch yn canmol ei rhinweddau
A chydymdeimlo â hi er mwyn ei thad.
Ac, ar fy llw, cyn hir fe dyr ei falais
Allan yn sydyn. Weithion, syr, yn iach!
Mi garwn rywdro, mewn amgenach byd,
Gael mwy o gyfle i'ch 'nabod.

Orlando 'Rwy'n wir ddyledus ichwi, syr, Ffar-wel.

(Exit LE BEAU)

O'r badell ffrio i'r tân! Greulonaf ffawd!
Rhaid ffoi rhag gormes Dug at ormes brawd;
Ond nefol Rosalind!

(Exit)

GOLYGFA III
Ystafell yn y Plas

(Enter CELIA a ROSALIND)

Celia Fy nghares! fy Rosalind! Ciwpid a'm helpo! Dim un gair?

Rosalind 'Run gair i'w daflu at gi.

Celia Na, mae d'eiriau'n rhy werthfawr i hynny: tafl un ataf fi. Tyrd, cais fy nghloffi â'th synnwyr.

Rosalind Ac wedyn bydd **dwy** yn ddi-ymadferth: y naill wedi'i chloffi â synnwyr, a'r llall yn wallgof heb ddim.

Celia Ond dwed, ai poeni am dy dad yr wyt?

Rosalind Na, – poeni am ferch fy nhad – i raddau. O, mor llawn o ddrain yw'r hen fyd 'ma!

Celia Na, nid drain mohonynt, ond cribau'r blaidd, – y blodau bachog a deflir atom yn smaldod y ffair. Y foment y crwydrwn o'r llwybr cyffredin, maent yn glynu wrth ein peisiau.

Rosalind Gallwn eu sgytian ymaith oddi ar fy ngwisg; ond yn fy nghalon mae'r rhain.

Celia Wel, halia-nhw i ffwrdd!

Rosalind Eu halio wnawn, pe gallwn weiddi 'ha-lo' a'i gael efô!

Celia Twt, twt, ymgodyma â'th serchiadau.

Rosalind O maent yn ochri â gwell codymwr na fi.

Celia Wel, fy mendith arnat! Byddi'n fuddugol cyn bo hir, er gwaethaf codwm. Ond, i fwrw smaldod heibio, a siarad o ddifri, a yw'n bosibl – mor ddisymwth – y syrthit i'r fath hoffter o fab ieuengaf Syr Roland?

Rosalind 'Roedd y Dug, fy nhad, yn hoff iawn o'i dad ef.

Celia 'Oes raid i tithau, gan hynny, garu ei fab? Os dyna'r ddadl, fe ddylwn innau'i gasáu, achos 'roedd fy nhad i yn casáu ei dad ef! Eto i gyd, nid wyf yn casáu Orlando.

Rosalind Na: er fy mwyn i, paid ti â'i gasáu.

Celia A pham na ddylwn? Onid yw'n gwir haeddu?

Rosalind Gad i **mi** ei garu am hynny; car dithau ef am fy mod i yn ei garu. Ond ust! dyma'r Dug yn dyfod.

Celia A'i drem yn llawn dicter

(Enter y DUG FFREDRIG ac Arglwyddi)

Dug Ffredrig *(wrth ROSALIND)* Ferch ieuanc, dos: par'tô i 'mado â'r llys,
Cyn digwydd a fo gwaeth.

Rosalind Fi, f'ewythr?

Dug Ffredrig Tydi:
O fewn deng niwrnod, os ar grwydr y'th geir
Yn nes nag ugain milltir i'r llys hwn,
Fe'th leddir.

Rosalind O! boed i'ch gras, 'rwy'n erfyn,
Roi gwybod imi'n gyntaf beth yw 'mai.
Os adwaen i fy hun, – ac od oes im
Wybodaeth, syr, o'r dymuniadau mau,
Onid breuddwydio'r wyf, neu ynteu'n orffwyll,
(A'm gobaith yw nad e), – O! f'annwyl ewyrth,
Mewn cymaint ag un meddwl nad yw'n bod –
Ni phechais ddim i'ch erbyn.

Dug Ffredrig Dyna stori
Holl fradwyr byd. A'u cymryd ar eu gair,
Maent mor ddiniwed ag yw gras ei hun.
Collais ymddiried ynot – dyna'r cyfan.

Rosalind Ni all eich diffyg ffydd fy ngwneud yn fradwr.
Atolwg, dwedwch beth yw sail eich tyb.

Dug Ffredrig Wyt ferch i'th dad: mae hynny'n fwy na digon.

Rosalind Ac felly yr oeddwn, syr, pan ddug eich gras
Y ddugiaeth oddi arno. Felly 'roeddwn
Pan alltudiasoch ef. Ac nid yw brad
Yn etifeddol, f'arglwydd. Neu, os tardd
Oddi wrth gyfeillion, beth yw hynny i mi?
Nid bradwr oedd fy nhad. Atolwg, f'arglwydd,

Na foed eich barn amdanaf mor annheg
Nes tybio bod fy nhlodi'n arwydd brad.

Celia Yn wir, fy nhad, gwrandewch –

Dug Ffredrig Fe'i cadwyd yma er dy fwyn di, Celia:
Pe amgen, aethai'n alltud gyda'i thad.

Celia Ni chrefais am ei chwmni yr adeg honno:
Eich dewis chwi, a'ch edifeirwch, oedd;
Cans rhy ddi-brofiad oeddwn ar y pryd
I'w gwerthfawrogi; ond bellach gwn ei gwerth.
Os bradwr hi, – 'rwyf innau'n fradwr hefyd.
'Rŷm wedi cysgu, a chodi, dysgu a chwarae,
Ynghyd ein dwy; ac megis elyrch Iau,
Ynghyd yr aem i bobman, heb wahân.

Dug Ffredrig Ni welaist ei chyfrwysdra: mae'i thawelwch
A'i hamyneddgar ddull yn swyno'r dorf.
'Rwyt tithau'n ffŵl. D'ysbeilio o'th enw y mae.
Disgleiriach fyddit ti, a gwell dy barch,
O'i myned ymaith. Felly, taw â'th sôn!
Diysgog, meddaf, a di-droi'n ôl,
Yw'r ddedfryd eiddof. Fe'i halltudiais hi!

Celia Alltudiwch finnau, f'arglwydd, yr un pryd:
Nid oes im fywyd hebddi.

Dug Ffredrig Ynfytyn, taw!
A thithau, nith, ymorol. Ar fy llw,
Os oedi funud dros y tymp a roed,
Bydd terfyn ar dy fywyd.

(Exeunt Y DUG FFREDRIG ac Arglwyddi).

Celia Fy Rosalind druan, i ble'r ei di'n awr?
Gad inni ffeirio tadau! Cei di'r eiddof.
Atolwg, na fydd dristach nag wyf fi.

Rosalind Mae gennyf fwy o achos.

Celia Nac oes, f'annwyl,
Tyrd, cod dy galon: gwyddost fod y Dug
Wedi f'alltudio innau.

Rosalind Na-ddo, Celia.

Celia	Ai na-ddo? Felly, ni fedd Rosalind Y serch a'i dysg ein bod ill dwy yn un. Ffrind annwyl, a yw'n bosibl ein gwahanu? Na: rhaid i'm tad ymofyn aeres arall. Awn ati i gyd-ddyfeisio sut i ffoi, P'le-i fynd, a beth i'w gario gyda ni; Tyrd; paid â digalonni mwy na rhaid, Gan ddwyn y baich dy hun a'm gado o'r cyfri'; Cans, tyst fo'r Nef, sy'n gwelwi wrth weld ein gwae, – Er maint a ddwedych, – 'rwy'n mynd gyda thi.
Rosalind	Ond, Celia, i ble'r awn?
Celia	I chwilio am f 'ewyrth, draw yn fforest Arden.
Rosalind	Och fi, mor dra pheryglus inni ein dwy, Rianedd unig, fyddai taith mor bell!
Celia	Rhof ddillad gwael a thlawd amdanaf, A rhwbio math ar wmber ar fy ngwedd: Gwna di 'run modd: cawn felly deithio 'mlaen Heb greu gelynion.
Rosalind	Oni fyddai'n well I mi, sy'n eneth dalach na'r cyffredin, Ped ymarfogwn ymhob dull fel dyn? Boed twca galawnt ar fy nghlun ynghrog, Bwystfer i'm llaw; a pha ryw bynnag ofn Neu fraw benywaidd dan fy mron a drig, Boed rhodres gwych-ryfelgar y tu-faes; Ac megis llawer llwfrddyn torsyth arall, Boed gennyf rith gwroldeb heb ei rym!
Celia	Beth fydd dy enw di, pan fyddi'n ddyn?
Rosalind	Enw gwas lifrai Iwpiter – dim llai; Ac felly, cofia 'ngalw yn Ganimêd. Ond beth fydd d'enw di?
Celia	Rhywbeth a fo'n gysylltiol â'm hystad: Nid Celia mwyach, ond Aliena.
Rosalind	Ac weithion, gares, beth am wneuthur cais I ddenu'r clownaidd ffŵl o lys dy dad? Fe fyddai'n gysur inni ar y siwrnai.

Celia

Dôi Touchstone gyda mi i ben-draw'r byd:
Gad rhyngof fi â hynny. Yn awr, i ffwrdd
I 'morol am ein haur a'n perlau 'nghyd.
Rhaid meddwl am y dull a'r awr ddiogelaf
I ymguddio rhag yr ymlid fydd o'n hôl,
Wedi fy mynd. Heb bryder, weithion, awn –
Nid i alltudiaeth, ond i ryddid llawn.

(Exeunt)

ACT II

GOLYGFA *I*

Yn fforest Arden.

Enter Y DUG, AMIENS, ac Arglwyddi eraill, yn niwyg fforestwyr

Y Dug
Yn awr, gymrodyr alltud, pond mwy pêr,
Trwy rin ymarfer, yw ein bywyd hwn
Na llachar rwysg y plas? Pond diogelach
Y coedydd hyn na'r cenfigenllyd lys?
Yma ni theimlwn ddim ond penyd Addaf,
Mympwy'r tymhorau, – megis rhewllyd ddant
A cherydd swnllyd y gaeafol wynt, –
Dan lach a brath yr hwn, er sgrytio'n oer,
Ni allaf innau lai na gwenu, a dwedyd –
"Nid gweniaith hyn. Cynghorwyr ydyw'r rhain
Sy'n f'argyhoeddi i'r byw pa fath un wyf."
Mor bêr yw gweinidogaeth adfyd in!
Os yw, fel llyffant du, yn hagr-wenwynig,
Mae'n cuddio maen mererid yn ei ben.
Ac yn y tangnef hwn, ymhell o'r byd,
Ceir llyfr a llith ymhob rhyw ffrwd a maen;
Mae'r coed yn siarad; mae pob peth yn dda:
Ni ffeiriwn mono.

Amiens
F'arglwydd, gwyn eich byd,
Yn medru newid gwedd cyndynrwydd Ffawd
Mewn dull mor dawel, ac mewn iaith mor chweg.

Y Dug
Dowch; ffrindiau; beth am hela fenswn dro?
Ac eto, chwith fai gweld y ceirw brych,
Drueiniaid bach, (cynhenid fwrdeisyddion
Y ddinas anial hon), a'r gwaed yn lli
Dros eu morddwydydd lluniaidd.

Arglwydd I
Gyda llaw,
Mae'r melancolaidd Jaqués, yntau hefyd,
Ymhoen am hyn: ac 'rydych chwi, medd ef,
Yn fwy o drawsfeddiannydd, syr, na'ch brawd
A'ch gwnaeth yn alltud. Heddiw, euthum i
A'm harglwydd Amiens yn slei bach i'w wylio –
Ac yntau'n gorwedd ar ei hyd fan draw

Dan gysgod derwen oediog sydd â'i gwraidd
Yn sbïo ar ffrwd lamsachus yn y coed:
Yno i farw fe ddaeth truan hydd,
Yn alltud, wedi'i glwyfo gan ryw heliwr:
'Roedd griddfan y creadur bach mor drwm –
Bron nad ymrwygai'i groenwisg ledraidd, lwyd,
Gan faint yr ymchwydd. Hwythau'r dagrau bras
Yn llifo dros ei wirion drwyn heb baid,
O un i un. Ac felly y safai draw,
Dan lygaid craff y melancolaidd Jaqués,
Y blewog hydd, ar fin y gornant chwern,
A'i ddagrau'n chwyddo'r lli.

Y Dug Ond beth am Jaqués?
Oni foesolai efô'r olygfa hon?

Arglwydd I O, gwnâi, – â chymariaethau fil.
Yn gyntaf am yr wylo i'r afraid ffrwd:
"Hydd annwyl," meddai, "gwneuthur testament
Yn null y byd yw hyn; cyflwyno swm dy rodd
I berchen gormod eisoes." Ac am ei adael
Yno'n esgymun gan ei ffrindiau mwyth, –
"Purion," eb ef, "cans felly yr ymwâd
Trueni â llif cymdeithas." Toc, daeth haid
O geirw yn ysgafala heibio i'r lle,
Gan lamu'n sionc-borthiannus a di-feind:
"Ie," medd Jaqués, "rhuthrwch chwithau 'mlaen,
Flonhegog ddinasyddion, – dyna'r drefn, –
Heb gymryd sylw o'r trist fethdalwr draw."
Ac felly, â dychan chwerw, y gwân efô
Gorff gwlad a thref a llys, a hyd yn oed
Gorff ein holl fywyd yma; canys twng
Mai trawsfeddianwyr a gormeswyr ŷm,
Neu waeth na hynny, yn dychryn ac yn lladd
Y creaduriaid yn eu hiawn gynefin
A'u priod gartref hen.

Y Dug Ac felly yn ei fyfyr, y'i gadawsoch?

Arglwydd I Ie, f'arglwydd, yn wylo ac ymson draw,
Yn sŵn griddfannau'r carw.

Y Dug Awn ato ynghyd.
Mewn chwiw mor chwerw, mae'n werth ymgael ag ef:
Llawn sylwedd yw.

Arglwydd I Ie, dowch, dilynwch fi.

(Exeunt)

GOLYGFA II
Ystafell yn y plas

Enter y DUG FFREDRIG, Arglwyddi &c.

Dug Ffredrig A feiddiwch ddwedyd bawb na welsoch monynt?
Pw! celwydd yw! Mae twyllwyr yn fy llys
Sy'n gwybod popeth ac yn cuddio'r gwir.

Arglwydd I Ni chlywais i am neb o'r llys a'i gwelodd.
Fe'i gwelwyd gan forynion ei hystafell
Yn mynd i'w gwely; ond yn y bore bach
'Roedd hwnnw'n wag, a hithau wedi ffoi.

Arglwydd II F 'arglwydd, mae'r clown di-ras y byddech chwi
Yn chwerthin am ei ben mor fynych gynt,
Hefyd ar goll. Addefir gan Hesperia,
Llawforwyn y d'wysoges, iddi glywed
Eich merch a'i chares, mewn ymddiddan brwd,
Yn canmol doniau a grasusau'r llanc
'Roes godwm i'r cyhyrog Siarl dro'n ôl:
A chred Hesperia fod y llanc, bid siŵr,
Yn un o'r cwmni, pa le bynnag maent.

Dug Ffredrig Ewch at ei frawd. Dygwch y galawnt yma.
Os yw'n absennol, dowch â'r llall i'r llys.
Rhaid iddo chwilio amdano. Ewch ar ffrwst!
Na foed i'r chwilio a'r holi lacio dim
Nes dwyn y ffoaduriaid hurt yn ôl.

(Exeunt)

GOLYGFA III
O Flaen tŷ Olifer

Enter ORLANDO ac EUDAF; yn cyfarfod

Orlando Pwy sy 'na?

Eudaf Beth sydd, fy meister ifanc? Feister annwyl:
O! fy meister mwyn! O! atgof byw
O'r hen Syr Roland! – beth a wnewch-chi yma?
Paham 'rŷch mor rinweddol? A pham mor hoff
Gan bawb a'ch adwaen? Pam mor ddewr a thyner?
Paham y mynnech drechu ceimiad 'sgyrnog
Y Dug trofaus? Rhy gyflym adre' o'ch blaen
Y daeth eich moliant. Oni wyddoch, meister,
Nad yw grasusau, i ambell fath o ddyn,
Namyn gelynion cas. Ac felly'r eiddoch.
Traeturiaid cysegredig, dyna'r gwir,
Fy meister annwyl, yw eich doniau da.
O! pa ryw fyd yw hwn, sy'n troi hawddgarwch
Yn wenwyn i'w berchennog!

Orlando Ond beth yw'r helynt?

Eudaf Ŵr ifanc anffortunus, peidiwch byth
Â chroesi'r hiniog hon: cans yma y trig
Gelyn eich holl rasusau – sef eich brawd.
Na, nid eich brawd: er hynny hefyd, mab, –
Eto, nid mab, – ni alwaf mono'n fab
I'r sawl yr oeddwn, syr, ar fedr ei enwi
Iddo yntau'n dad: Fe glywodd am eich clod;
A'i fwriad heno yw llosgi eich llety gwael
Yn llwyr i'r llawr – a chwithau ynddo; neu,
Os metha'r cynllun hwnnw, ceisio eich lladd
Ryw arall ffordd neu'i gilydd. Clywais ef
Yn trafod hyn. Nid dyma'r lle i chwi;
Cans lladd-dy, a dim arall, ydyw hwn.
Ofnwch, casewch y lle: nac ewch i mewn.

Orlando Ond dywed wrthyf, Eudaf, i ble'r af?

Eudaf Ni'm dawr i ble, ond nid i'r annedd hon.

Orlando

Beth wnaf, – ai crwydro i gardota 'mwyd,
Neu rodio fel ysbeiliwr yma a thraw
A chleddyf brwnt-herfeiddiol ar fy nghlun?
Cans hyd y gwelaf, dyna'r unig ffordd.
Ac eto, doed a ddêl, nid felly y gwnaf:
Yn hytrach 'rwy'n bodloni i ddioddef malais
Holl annaturiol waed fy ngwaedlyd frawd.

Eudaf

Nid felly, syr. Mae gennyf yma bum-cant
O gronau a gynilais bob yn 'chydig
Wrth weithio i'ch tad. Fe'u cedwais at y dydd
Y pallo nerth f 'aelodau, a phan lecho
Henaint, o'r ffordd, yng nghongl y tŷ'n lluch-dafl.
Hwdiwch, cymerwch hwy; a boed i'r hwn
Sy'n bwydo'r cigfrain a gofalu'n hael
Am adar mân y to, gysuro f 'henoed.
Mae'r arian yma: fe'u rhoddaf oll i chwi:
Cymerwch finnau'n was. 'Rwy'n hen, mi wn,
Ond eto'n gryf a lysti, cans ni chafodd
Diodydd meddwol gyfle i lygru 'ngwaed.
Yn wyneb-galed, chwaith, ni rodiais ddim
Ar lwybrau gwendid a dirywiad corff.
Mae'r henoed mau, gan hynny, yn aeaf lysti;
Fe'ch gwasanaethaf cystal â'r un llanc
Ym mhob rhyw achos ac ym mhob rhyw raid.

Orlando

O! hen-ŵr da, mor amlwg ynot ti
Gyson wasanaeth yr hen amser gynt,
Pan chwysid er dyletswydd, nid er tâl!
Nid eiddot ti ffasiynau'r cyfnod hwn –
Pan nad yw neb yn chwysu ond er dyrchafiad,
Ac wedi'i gael, yn peidio, yn y fan,
Â phob gwasanaeth: nid fel hyn tydi.
Ond henwr hoff, yr wyt yn tocio pren
Na ddichon, gan ei bydredd, gynnig it
Gymaint â blodyn am dy ddirfawr boen
A'th holl ddarbodaeth. Ond, tyrd gyda mi.
Awn oddi yma; ffown yng nghwmni'n gilydd;
A chyn disbyddu'r cyflog mebyd tau,
Fe drawn ar ryw lonyddwch syml ein dau.

Eudaf

Ie, dos, ac fe'th ddilynaf, feister gwiw,
Hyd f'anadl olaf, mewn teyrngarwch triw.
O'm deunaw mlwydd hyd bedwar ugain, agos,
Yma y bûm, ond mwy ni fynnaf aros.
Yn ddeunaw oed, cais llawer llanc ei ffortun:
Yn bedwar ugain, mae'n rhy hwyr o dipyn.
Ond ni all ffawd roi im ad-daliad tecach
Na marw'n braf, heb ddlêd i'm meister mwyach.

(Exeunt)

GOLYGFA IV
Yn fforest Arden

(Enter ROSALIND yng ngwisg llanc ieuanc; CELIA yng ngwisg bugeiles; a TOUCHSTONE)

Rosalind Myn Iwpiter, mor llegach yw f'ysbryd.

Touchstone 'Waeth gen-i am f'ysbryd, 'tasa 'nghoesau ddim mor llegach.

Rosalind 'Rwy'n teimlo'n dra digalon: yn wir, gallwn sarhau fy nillad gwryw, a chrio fel merch; ond mae'n rhaid cysuro'r llestr gwannaf, – cans dylai'r wasgod a'r clos fod yn ddewr yng ngolwg y bais; ac felly, côd dy galon, Aliena.

Celia O! ni allaf deithio 'mhellach, coeliwch-fi.

Touchstone O'm rhan fy hun 'rwy'n barod i'ch coelio-chi, ond nid i'ch cario-chi: ac eto, nid cario croes fasa'ch cario chi, achos 'rwy'n coelio nad oes dim arian yn eich poced.

Rosalind Wel, dyma goedwig Arden!

Touchstone Ie, siŵr: a minnau'n awr yn Arden, 'rwy'n fwy o ffŵl nag erioed. Pan oeddwn gartref, 'roeddwn mewn amgenach lle; ond rhaid i deithwyr fodloni.

Rosalind Ie'n wir, Touchstone bach, bodlona. Ond ust: 'drychwch pwy sy'n dyfod: llanc ifanc a hen ŵr – yn sgwrsio'n ddwys.

(Enter CORIN a SILVIUS)

Corin Os felly, bydd ei dirmyg yn fwy fyth.

Silvius Ond, O na wyddit fel y caraf hi.

Corin Gallaf ddyfalu. Bûm innau yn caru gynt.

Silvius Na, Corin, 'rwyt-ti'n hen; ni wyddost ddim,
Er iti fod, erstalm, ffyddloned carwr
Â neb fu'n ocheneidio berfedd nos:
Ond os buost gymaint carwr â myfi –
(A sicr ydwyf na fuost ti na neb) –
I ba ryw actau llwyr chwerthinllyd, frawd,
Y llusgwyd tithau gan dy ffantasi?

Corin I fil ohonynt; ond nis cofiaf mwy.

Silvius Wel dyna braw na cheraist fawr erioed;
Cans onid wyt yn cofio'r ffwlbri lleiaf
Y syrthiaist iddo gynt yng ngrym dy serch,
Ni cheraist fawr.
Neu oni thorraist ti oddi wrth gyfeillach,
Fel hyn, yn sydyn, 'herwydd nerth dy nwyd, –
Ni cheraist fawr. O! Phebe, Phebe, Phebe!

(Exit Silvius)

Rosalind O, fugail trist, – wrth chwilio i mewn i'th glwyf,
Dinoethaist, drwy chwith hap, fy nghlwyf fy hun.

Touchstone A'r eiddof finnau hefyd. 'Rwy'n cofio, pan oeddwn mewn cariad, imi dorri fy nghleddau ar faen, a dwedyd wrtho – "Hwde, cymer hwnna am ddwad at Jane Smile yn y nos"; ac 'rwy'n cofio cusanu ei batled, a thethau'r fuwch wedi i'w dwylo bach craciog eu godro; ac 'rwy'n cofio anwesu callod pys yn 'i lle hi, a dweud wrth eu rhoi'n ôl iddi – â'm dagrau'n llifo, – "Gwisg hwynt er fy mwyn". Mae stumiau rhyfedd arnom ni gariadon cywir; ond megis y mae popeth mewn bod yn farwol ei natur, felly mae popeth mewn cariad yn farwol ei ffwlbri.

Rosalind Mae mwy o synnwyr yn dy druth nag a ddeëlli.

Touchstone Mae'n siŵr na ddeallaf faint fy noethineb nes torri fy nghrimog arni.

Rosalind "Mae serch y bugail yma
'Run ffunud â f 'un inna' ".

Touchstone Â f 'un inna' hefyd, – ond bod blas 'hir hel', i raddau, ar f 'un i.

Celia Gofynned un ohonoch i'r dyn draw,
Atolwg, am ychydig fwyd, er tâl:
'Rwyf bron â llwgu.

Touchstone Hai! 'rhen ffolyn, clyw!

Rosalind Taw, ffŵl: nid un o'th deulu di ydi hwn.

Corin Ho, pwy sy'n galw?

Touchstone Dy well, syr, debyg iawn.

Corin Druan ohonoch, os nad dyna'r gwir.

Rosalind *(Wrth TOUCHSTONE)* Taw meddaf.
(Wrth CORIN) Noswaith dda it, gyfaill.

Corin I chwithau, dirion syr, ac i bawb oll.

Rosalind Atolwg, fugail, os gall serch neu arian
Bwrcasu ymgeledd yn y fangre hon,
Dwg ni at ryw orffwysfan ac at fwyd.
Mae'r lodes yma ymron diffygio'n lân
'N ôl hirdaith drom.

Corin Drwg gennyf drosti, syr;
Er ei mwyn hi, – nid er fy mwyn fy hun, –
Mi garwn fedru cynnig lloches iddi;
Ond bugail i ddyn arall ydwyf fi,
Ac nid myfi sy'n cneifio gwlân fy mhraidd.
Gŵr caled a chybyddlyd yw fy meistr;
Nis dawr pa fodd i geisio'r ffordd i'r Nef
Trwy feithrin lletygarwch. Hefyd, syr,
Mae'i fwthyn a'i holl ddefaid a'i ystad
Yn awr ar werth; ac yn ein caban ninnau,
A'r meistr i ffwrdd, 'rwy'n ofni nad oes dim
A dâl yn ymborth ichwi. Ond dowch i weld.
Cewch groeso cynnes yn fy nghysgod i.

Rosalind Pwy sydd debyca' o brynu'r praidd a'r borfa?

Corin Y llanc oedd yma rai munudau'n ôl,
Er nad yw'n chwannog iawn i brynu dim.

Rosalind Atolwg, os yw'n bosibl ac yn deg,
Pryn y porfeydd a'r bwthyn a'r holl braidd;
Cei dithau'r modd i dalu gennym ni.

Celia Cei hefyd gyflog gwell. 'Rwy'n hoffi'r lle.
Mi allwn wario f'amser yma yn braf.

Corin Mae'r eiddo ar werth, beth bynnag. Ac yn awr,
Dowch gyda mi. Ar bwys gwybodaeth well,
Os bydd y stad a'r bywyd wrth eich bodd,
Gofalaf innau'n ffyddlon am y praidd,
Ac af i brynu'r stad yn ddiymdroi.

(Exeunt)

GOLYGFA V
Y Fforest

Enter AMIENS, JAQUES, *ac eraill*

CÂN.

Amiens Os hoffech gynnal oed
Dan brennau braf y coed,
A thiwnio melys gân
Yng nghwmni'r adar mân,
Dowch yma, dowch yma, dowch yma:
Ni ddaeth erioed
Elyn i'r coed
Ond drycin oer y Gaea'.

Jaques 'Chwaneg, atolwg, 'chwaneg.

Amiens Ond fe'ch try'n felancolaidd, Monsieur Jaques.

Jaques Gorau'n y byd. 'Chwaneg, atolwg, 'chwaneg. Medraf sugno'r felan allan o gân, fel gwenci'n sugno wy. 'Chwaneg, atolwg, 'chwaneg.

Amiens Mae crac yn fy llais; ni allaf eich plesio.

Jaques Nid gofyn ichwi 'mhlesio yr wyf, ond gofyn ichwi ganu. 'Chwaneg, dowch: un pennill arall. Ai pennill yw'r gair?

Amiens Wel ie, os mynnwch-chi, Monsieur Jaques.

Jaques Ond waeth genny' beth fo'u henwau: 'tydyn-nhw ddim mewn dyled i mi; ydach-chi am ganu?

Amiens Ar eich cais chwi, ac nid i'm plesio fy hun.

Jaques Wel ynteu, os byth y diolchaf i rywun, diolchaf i chwi. Ond mae'r hyn a elwir yn ganmoliaeth yn debyg i ddau epa'n cyfarfod. Pan fo dyn yn diolch imi'n galonnog, 'rwyf fel pe rhoeswn geiniog iddo, ac yntau'n rhoi'r diolch begeraidd i mi. Dowch, cenwch: a'r sawl ni fyn ganu, boed fud.

Amiens O'r gorau, mi orffennaf y gân. Yn y cyfamser, wyrda, partowch y bwyd; daw'r Dug i yfed dan y pren hwn. Bu'n chwilio amdanoch drwy'r dydd.

Jaques A minnau trwy'r dydd yn ei 'sgoi. Mae'n rhy ddadleugar i fod yn gwmni i mi. 'Rwy'n meddwl am gymaint o faterion ag yntau, ond (diolch i'r nefoedd) heb fragio'n eu cylch. Dowch, pynciwch, dowch.

CÂN. *(Pawb ynghyd yma)*

Y difalch ŵr nad yw
Mewn rhwysg yn hoffi byw:
Y dewr, ddirwgnach ddyn
Sy'n ceisio'i fwyd ei hun, –
Dowch yma, dowch yma, dowch yma:
  Ni ddaeth erioed
  Elyn i'r coed
Ond drycin oer y Gaea'.

Jaques Ac yn awr mi adroddaf bennill a luniais i, er gwaethaf fy niffyg dychymyg, ar yr alaw hon, ddoe.

Amiens Ac fe'i canaf innau.

Jaques Fel hyn mae o'n mynd:

Os digwydd, trwy an-hap,
I ddyn droi'n asyn, – chwap,
A gado'i ddedwydd fyd
I blesio mympwy drud:
Ducdame, ducdame, ducdame:
Yma caiff hwn
Ddigon, mi wn,
O ffyliaid gwaeth na minne.

Amiens Beth ydi ystyr 'ducdame'?

Jaques Gwŷs Roegaidd i alw ffyliaid yn gylch. Af i gysgu'n awr, os medraf; ac oni chaf gwsg, wel, gwae holl gyntaf-anedig yr Aifft.

Amiens Af innau i chwilio am y Dug: mae'r bwyd a'r llyn yn barod.

(Exeunt, mewn gwahanol gyfeiriadau)

GOLYGFA VI
Rhan arall o'r goedwig

(Enter ORLANDO ac EUDAF)

Eudaf Meister annwyl, ni allaf deithio ymhellach. O! 'rwy'n trengu o eisiau bwyd. Yma mi orweddaf, a mesur fy medd. Ffar-wel, fy meister tirion.

Orlando Ond beth sydd, Eudaf? Cod dy galon ychydig. Paid â digalonni. Ymsiriola, dipyn bach. Os trig unrhyw greadur gwyllt yn y goedwig anial hon, caiff ymborthi arnaf fi, neu fe'i dygaf yma'n ymborth i ti. 'Rwyt yn nes i dranc o ran dychymyg nag mewn gwirionedd. Er fy mwyn i, ymgysura: dal angau hyd braich oddi wrthyt dros dro. Deuaf yn ôl toc; ac oni ddygaf iti rywbeth i'w gnoi, rhof gennad iti farw; ond os trengi cyn hynny, byddi'n gwawdio fy llafur. Go dda! 'rwyt yn edrych yn fwy siriol: byddaf gyda thi toc iawn. Ond mae'r gwynt yn oer fan yma: tyrd, fe'th gludaf i'r cysgod. Ni chei farw o ddiffyg cinio, a bod un creadur byw yn y fforest. Cod dy galon, Eudaf!

(Exeunt)

GOLYGFA VII
Rhan arall o'r goedwig

(Bwrdd wedi'i osod. Enter y DUG SENIOR, AMIENS, ac eraill)

Y Dug Bid sicr, fe'i trowd yn fwystfil erbyn hyn:
Ni welais mono, o leiaf, yn rhith dyn.

Arglwydd I 'Roedd yma, f 'arglwydd, funud bach yn ôl,
Ac yn ei hwyliau gorau, yn gwrando cân.

Y Dug Ef a'i sŵn drwg, yn troi'n gerddorol?
Bydd discord trwy'r holl greadigaeth toc!
Ewch, dwedwch wrtho y carwn ddadlu ag ef.

Arglwydd I Caf arbed mynd. Mae'n dyfod ar y gair.

(Enter JAQUES)

Y Dug Myn f 'enaid, Monsieur! truan fyd yw hwn
Pan orfydd arnom grefu am gael eich gweld.
Aha! mae golwg hapus arnoch!

Jaques Ffŵl, ffrindiau, ffŵl! Mi welais ffŵl yn y fforest!
Ffŵl yn ei lifrai: nid truan fyd mo hwn!
Ffŵl yn gorweddian a thorheulo'n braf,
Gan regi'r rhiain Ffawd mewn termau gwych, –
Termau dewisol wych, – ac yntau'n ffŵl.
"Ffŵl", meddwn, "bore da". "O, nac e", eb ef,
"Nid ffŵl, syr, cyn i'r Nef roi ffortiwn imi".
Wedyn fe dynnodd oriawr gron o'i god,
Ac edrych arni â'i lygaid pŵl, a dweud,
Yn ddoeth ryfeddol: "Mae-hi'n ddeg o'r gloch:
Ie, dyna ffordd y byd o hercio 'mlaen.
Awr yn gynharach 'doedd hi'n ddim ond naw;
Ac mewn awr eto bydd yn un ar ddeg.
Fel hyn, o awr i awr, aeddfedu yr ŷm,
Ac yna, o awr i awr, troi'n bwdr, troi'n llwch".
Mae stori ynglŷn â hyn. Wrth glywed ffŵl,
Swyddogol ffŵl, yn doeth-foesoli'r tymp,
Dechreuais glochtar fel rhyw sianticlir,
Fod ffyliaid byd mor llawn myfyrdod dwys;
Ac wrthi'n chwerthin yn ddi-baid y bûm
Awr gron yn ôl ei oriawr. Campus ffŵl!
Ardderchog ffŵl! Siwt ffŵl yw'r siwt i mi!

Y Dug Pa ffŵl yw hwn?

Jaques O deilwng ffŵl! Bu unwaith yn ŵr llys;
Cyd bo rhianedd, meddai, yn dlws ac ifanc,
Nid ŷnt heb wybod hynny; ac yn ei fennydd,
Y sydd cyn syched â'r biscedi sbar
Ar derfyn mordaith hir, mae conglau rhyfedd
Sy'n llawn o ffrwyth sylwadaeth, a deifl efô
Mewn ffurfiau blêr ger-bron. O na bawn ffŵl!
Rwy'n llawn uchelgais, syr, am fwtlai wisg.

Y Dug Rhaid cael un it.

Jaques 'Thal dim ond honno i mi.
Hynny yw, fe dâl, os gellwch chwi ddileu
Pob syniad gwyllt a dyf o fewn eich pen
Fy mod yn ddoeth. Boed rhyddid perffaith im,
A siarter ddi-derfynau fel y gwynt,
I chwythu ar bawb; cans dyna fraint pob ffŵl.
A dylai'r bobl a boenid fwya' gennyf
Chwerthin yn uwch na neb. Pam, meddech chwi?
Mae'r pam cyn blaened ag yw'r ffordd i'r llan.
Ffol iawn, dan ergyd saeth gyrhaeddgar ffŵl,
Yw'r neb ni allo guddio'i boen: os amgen,
Ceir gweled siawns-ergydion gwael y ffŵl
Yn llwyr ddinoethi ffolinebau'r doeth.
Rhowch fwtlai wisg amdanaf: rhowch im hawl
I ddweud fy meddwl; ac fe lwyr lanhaf
Hen gorpws brwnt y byd llygredig hwn,
Ond iddo lyncu'r ffisig yn ddi-gŵyn.

Y Dug Ond ffei ohonot! Gwn pa beth a wnaet!

Jaques Yn rhodd, beth 'wnawn-i ond daioni i'r byd?

Y Dug Y pechod gwaethaf, syr, wrth ddwrdio pechod.
Oferddyn anllad fuost ti dy hun.
I'r fuchedd gyffredinol chwydu a wnaet
Yr holl gramennau drwg a'r clwyfus grach
A fagodd d'afradlondeb ar y daith.

Jaques Eithr gan bwy, wrth farnu balchder byd,
Mae hawl i basio barn ar unigolyn?
Cans oni chwydda balchder fyth i'r lan,
Nes dyfod trai ar wartha 'i donnau blin?

Pa wraig a enwaf yn y ddinas, syr,
Pan daeraf fod dinasferch dda ei byd
Yn cario cost twysogion ar ei sgwyddau,
Mewn dull annheilwng? Pwy all ataf ddod
A haeru fy mod wedi ei henwi hi?
Neu pwy yw ef, waeth pa mor wael ei swydd,
Gan dybio im sôn amdano ef, a dwng
Nad yw'n hardd-wisgo ar fy nghost – heb ddangos,
Drwy'i brotest, fod y cap yn ffitio'i ben?
Wel ynteu, sut a beth? Dangoser im
Pa gam a wnaeth fy nhafod hwn ag ef.
Os dwedais wir, gwnaeth gam ag ef ei hun.
Os yw'n ddi-euog, wel, mae'r farn a draethais
Yn hedfan ar ddisperod, fel gŵydd wyllt –
Heb undyn yn ei hawlio. Ond pwy sy'n dod?

(Enter ORLANDO a'i gleddau'n noeth yn ei law).

Orlando 'Rhoswch! Peidiwch â bwyta 'chwaneg!

Jaques Beth?
Ni ddechreuais eto!

Orlando Ac ni chei, chwaith,
Tra bo gwir newyn heb ei dorri.

Jaques Oho!
Ceiliogyn o ba frid yw hwn, atolwg?

Y Dug Ai pwys dy drallod, ddyn, a'th droes mor bowld?
Ai ynteu diffyg parch i foesau teg
A bair dy fod mor ddibris o gwrteisi?

Orlando Fe'i dwetsoch: pwys fy nhrallod. Dreiniog fin
Anghenraid chwerw a ddug oddi wrthyf, dro,
Bob gofal am gwrteisi, ac nid na wn
Beth yw magwraeth gain. Ond, ar fy llw,
Bydd farw y sawl a 'myrro â'r ffrwythau hyn
Nes im gyflenwi'r rhaid sy'n disgwyl wrthyf.

Jaques Wel, oni wrandewi ar reswm, bydd yn rhaid i mi farw.

Y Dug Beth fynnit, syr? Fe wna d'amynedd fwy
Na grym dy gleddyf i'n cyffroi.

Orlando Gwrandewch:
'Rwy'n marw o newyn. Dowch ag ymborth imi.

Y Dug Eistedd a bwyta: a chroeso at ein bwrdd.

Orlando Y fath dynerwch iaith! Maddeuwch im,
Fe dybiais i mai cas oedd popeth yma;
A dyna'r pam y rhuthrais ger eich bron
Mewn dull herfeiddiol. Ond beth bynnag ydych,
Sydd yn y fangre bell, anhygyrch hon,
Dan gysgod melancolaidd gangau'r coed
Yn esgeuluso troetrwm oriau tymp, –
Os gwelsoch chwi, cyn heddiw, ddyddiau gwell,
Os buoch lle mae clych yn gwadd i'r llan,
Os cyd-wleddasoch rywdro â chyfaill hoff,
Os gwyddoch beth yw sychu deigr o'ch trem,
Beth yw tosturio, a beth yw cael tosturi –
Boed mwynder yn gefnogydd cadarn im;
'Rwyf innau'n cuddio 'nghledd yn swildod ffydd.

Y Dug O do, fe welsom unwaith ddyddiau gwell,
A chlywed santaidd glych yn gwadd i'r llan,
Eistedd yng ngwleddoedd dynion da, a sychu
Lleithder ein llygaid mewn tosturi glân:
Ac felly, eistedd wrth ein bwrdd mewn hedd;
A phob rhyw gymorth y mae'n bosibl in
Ei gynnig i'th anghenion, cymer ef.

Orlando Yn unig, felly, arhoswch ennyd fach,
Tra rhedwyf draw, fel ewig, i roi bwyd
I'm heiddil fyn. Rhyw henwr truan yw,
A herciodd gyda mi, o gam i gam,
Mewn cariad pur. Nes ei ddigoni efô,
Sydd wan o henaint ac o eisiau bwyd,
Ni fynnaf fwyta dim.

Y Dug Dos ato'n syth:
Ymprydiwn ninnau nes dy weld drachefn.

Orlando Fy niolch, syr, a'm bendith ar eich mwynder.

(Exit)

Y Dug Ti weli nad ni'n unig sy'n annedwydd.
Mae'r theatr lydan, gyffredinol hon
Yn dangos llawer pasiant mwy alaethus
Na'r eiddom ni.

Jaques Llwyfan yw'r byd achlân!
A'r bobl i gyd sydd ynddo, actorion ydynt.
Maent wrthi yn mynd a dyfod yn eu tro:
Pob dyn yn chwarae llawer part mewn oes,
A'i hoedel yn saith act. Yn gynta 'r baban,
Yn mylu ac yn slefru ym mreichiau'i fam,
Ac yna'r crwtyn gwichlyd, gyda'i satsiel
A'i sgleiniog fore wedd, yn llusgo draw
Fel malwen tua'r ysgol. Yna'r llanc
Ochneidiol boeth, sy'n gwneud galarus gân
Am ael ei gariad. Wedi hynny'r milwr,
Ei lewaidd farf, a'i estron lyfon lu;
Balch o'i anrhydedd, sydyn-sgut mewn cweryl,
Yn mynnu ymgeisio am ddiflanedig glod –
Ie, yn ffroen y fagnel. Yna'r ustus,
Yn foliog braf gan fraster ffowlyn ffres,
Yn llym ei lygad ac yn dwt ei farf,
Llawn dywediadau doeth a phrofion modern;
Ac felly yr â drwy'i bart. Y chweched act
Yw'r brawd sliperog, tenau, hurt, a'i spectol
Ar bont ei drwyn, a'i sgrepan wrth ei glun:
Ei sanau, (ffrwyth darbodaeth,) yn rhy lac
I'w 'sgeiriau cul, a'r dyfnllais dynol gynt,
(A droes yn drebl plentynaidd eto'n ôl),
Yn gwichian pan lefaro. O'r diwedd daw
Act ola'r hynt helbulus, ryfedd hon,
Sef ail-blentyndod ac anghofrwydd llwyr,
Heb ddant, heb flas, heb lygad, heb ddim byd.

(Enter drachefn ORLANDO ac EUDAF gydag ef).

Y Dug Croeso: i lawr â'th faich oedrannus,
A chaffed fwyta.

Orlando Fy niolch erddo ef
Yn anad dim.

Eudaf Ac nid heb reswm chwaith:
'Rwyf fi'n rhy lesg i fedru diolch fawr.

Y Dug Croeso: dechreuwch: ac ar hyn o bryd
Ni'ch blinaf â chwestiynau ynglŷn â'ch helynt.
Ond beth am fiwsig? Amiens, tyrd â chân.

CÂN

Amiens

Chwŷth, chwŷth, aeafol wynt:
Er mor ddi-hedd dy hynt,
Ac er mor oer dy ffun;
Nid wyt, ar anwel daith,
Mor gas, mor greulon chwaith,
Ag anniolchgarwch dyn.

Cyd-ganwn Hei-ho! hei-ho las gelynnen:
Gall cyfaill anghofio, heb falio 'run frwynen:
Ond hei-ho'r gelynnen;
Mae'r lle hwn mor llawen.

Tyrd, tyrd, aeafol ias,
Nid ydwyt ti mor gas
Ag anniolchgar fryd.
Os ti sy'n rhewi'r nant,
Nid wyt mor llym dy ddant
Â thwyll a brad y byd.

Cyd-ganwn Hei-ho! hei-ho, las gelynnen:
Gall cyfaill anghofio, heb falio 'run frwynen:
Ond hei-ho'r gelynnen,
Mae'r lle hwn mor llawen.

Y Dug Os mab yr hen Syr Roland ydwyt ti,
Fel y sibrydaist wrthyf yma'n awr, –
('Rwyf innau'n gweld, â'm llygaid, ei bortreiad
Yn ddigon byw ac amlwg yn dy wedd,)
Mae croeso calon it. Myfi yw'r dug
A'i carai gynt. I adrodd mwy o'th hanes,
Tyrd gyda mi i'r ogof. Henwr hoff,
Mae croeso i tithau fel i'th feister. Awn:
Gafaelwch yn ei fraich. Rho im dy law;
Cawn sgwrsio 'mhellach yn yr ogof draw.

(Exeunt)

ACT III

GOLYGFA I
Ystafell yn y Plas

Enter y DUG FFREDRIG, OLIVER, Arglwyddi ac Eraill

Dug Ffredrig Dim siw na miw ohono? Amhosibl, syr!
Ac oni bai fod gennyf gryn drugaredd
Ni chwiliwn ragor am ysglyfaeth coll
I borthi 'nial, a thydi ar gael. Dos! dos!
Ymorol am dy frawd, ple bynnag 'mae.
Cais ef â channwyll; dwg ef yma'n ôl
Yn fyw neu'n farw, o fewn y deuddeng mis,
Neu, paid â meddwl am ddychwelyd byth.
Cymeraf feddiant o'th holl diroedd, syr,
A phopeth ar dy elw sy'n werth ei gael,
Nes derbyn sicrwydd gennyt ti a'th frawd
Nad cywir y cyhuddiad.

Oliver O f'arglwydd gwiw, na allech gredu 'ngair!
Ni cherais i mo 'nhipyn brawd erioed.

Dug Ffredrig Mwyaf cywilydd it. Wel, gwthiwch ef i maes;
A boed i'r rhai cymhwysaf o'm swyddogion
Ddarparu manwl stent o'i dŷ a'i dir.
Ewch ati ar unwaith: gyrrwch yntau i ffwrdd.

(Exeunt)

GOLYGFA II
Yn Fforest Arden

Enter ORLANDO, gyda phapur yn barod i'w hongian ar bren.

Orlando Yn dyst o'm serch, bydd yma 'nghrog, fy nghân;
A thithau, wenlloer gain, brenhines nos
A'i thrindod-dduwies, gwêl â'th lygaid glân
Enw dy ddiwair numff a'm rhiain dlos.
O Rosalind! y rhain yw'r llyfrau llon
Lle'r ysgrifennaf fy meddyliau i lawr,
Er mwyn i bawb o fewn y goedwig hon
Ganfod tystiolaeth i'th rinweddau mawr.
Rhed, rhed, Orlando! cerfia ar goed di-ri
Y bur, y gain, a'r ddihefelydd hi!

(Exit)

(Enter CORIN a TOUCHSTONE)

Corin Wel, fy meistr Touchstone, sut mae'r bywyd bugeiliol 'ma'n dygymod â chi?

Touchstone Yn wir, fugail, o'i ran ei hun mae'n fywyd pur dda; ond fel bywyd bugail, nid yw'n llawer o beth. O ran bod yn unig, 'rwy'n ei hoffi'n burion; ond o ran bod yn breifat, mae'n dra ffiaidd gennyf. Wrth gwrs, o ran bod yn y meysydd, mae'n fy mhlesio i'r dim; ond fel y mae'n 'mhell o'r llys, mae'n ddiflas. Fel bywyd go fain, wyddost, mae'n cyd-fynd â'm chwaeth; ond mae'i ddiffyg digonedd yn groes iawn i'm stumog. 'Oes tipyn o athroniaeth yn dy groen-di?

Corin Dim llawer; ond mi wn hyn: po fwyaf y clafycha dyn, mwyaf annifyr ei stad; bod dyn sydd heb foddion ac arian a chysur yn amddifad o dri ffrind go dda: bod tuedd mewn glaw i'n gwlychu, ac mewn tân i'n llosgi: bod porfa fras yn gwneud defaid tewion: bod diffyg haul yn brif achos nos: a bod dyn di-synnwyr yn gynnyrch cam-addysg, neu'n hanfod o dylwyth go ddwl.

Touchstone Yr wyt yn athronydd, mae'n amlwg. Ond, 'fuost-ti yn y llys ryw dro?

Corin Naddo'n wir.

Touchstone Wel, fugail, 'rwyt wedi dy ddamnio.

Corin Na: 'rwy'n gobeithio . . .

Touchstone Do'n wir, fe'th ddamniwyd, fel wy wedi hanner ei ffrio.

Corin Am na fûm-i 'rioed yn y llys? Sut hynny?

Touchstone Wel, os na fuost yn y llys, 'welest-ti 'rioed foesau da; ac o ddiffyg gweld moesau da, mae'n rhaid fod dy foesau'n ddrygionus: ac mae drygioni'n bechod, a phechod yn ddamnedigaeth. 'Rwyt mewn cyflwr dychrynllyd, fugail.

Corin 'Choelia-i fawr, Touchstone: mae moesau da'r llys mor chwerthinllyd yn y wlad ag yw arferion y wlad yn y llys. Nid cyfarch a wnewch yn y llys, meddech chi, ond cusanu dwylo; a byddai cwrteisi o'r fath yn aflan petai gwŷr llys yn fugeiliaid.

Touchstone Sut hynny, gyfaill? sut hynny?

Corin Wel, rydan-ni wrthi'n trin y mamogiaid, ac mae'r ŵyn, fel y gwyddoch, yn seimlyd.

Touchstone Ond mae dwylo'r gwŷr llys yn chwyslyd; ac onid yw saim dafad cyn iached â chwys dyn? Arwynebol hollol. Tyrd ag enghraifft well.

Corin Wel, mae dwylo bugail yn galed.

Touchstone Ac felly, mae'n haws i'r wefus eu teimlo. Arwynebol eto. Enghraifft gywirach, tyrd.

Corin Beth am y tár ar ein dwylo ar ôl bod yn trin briwiau'r defaid? A hoffech-chi gusanu tár? Mae dwylo'r gŵr llys wedi'u perarogli â sufed.

Touchstone Y creadur arwynebol gennyt! Y cnawd pry' genwair, yn honni bod yn gig maethlon! Cymer ddysg gan y doeth, ac hanbwylla: mae sufed yn daeocach ei darddiad na thár. Tyrd ag enghraifft gywir, fugail.

Corin Mae gormod o glyfrwch y llys yn eich dadl. 'Rwy'n tewi.

Touchstone Tewi, – a thithau'n ddamniedig? Duw a'th helpo, y creadur arwynebol. Duw a'th feddyginiaetho, 'rwyt-ti'n amrwd.

Corin Gweithiwr onest wyf fi, syr. 'Rwy'n ennill fy nhamaid ac yn ennill fy nillad: 'rwyf heb gasineb at neb, a heb genfigen at neb: 'rwy'n falch o weld eraill yn llwyddo, ac ni chwynaf am anghyfiawnder. Fy mhleser pennaf yw gweld fy nefaid yn pori a'm hwyn yn sugno.

Touchstone A dyna bechod plaen arall o'r eiddot: dwyn y defaid a'r meheryn ynghyd, a cheisio ennill dy damaid trwy ymrewydd y praidd: bod yn hwrdd-gyrchydd i famog, a bradychu oen benyw blwydd i hen fyharen pengam cwcwalltaidd, – peth hollol groes i reswm. Oni'th ddemnir am hyn, – mae'n rhaid nad yw'r diafol ei hun yn ymhél â bugeiliaid. Dyna d'unig siawns i ddianc, hyd y gwelaf.

Corin Ond dyma'r dyn ifanc, Meister Ganimêd, brawd fy meistres yn dŵad.

(Enter ROSALIND yn darllen papur)

Rosalind
'Rhwng dwyrain a gorllewin Ind,
Gorau perl yw Rosalind.
Ym mraich y gwynt mae'r sôn yn mynd
Trwy'r byd achlân – am Rosalind.
Mae pob rhyw bictiwr gwyn a ffeind
Yn ddu yn ymyl Rosaleind.
Anghofier wyneb pob rhyw ffrind,
Ond nid yr eiddo Rosalind".

Touchstone Pw! gallwn odli fel yna wyth mlynedd ynghyd, ac eithrio pryd cinio a swper a gwely: mae fel trot y merched i'r farchnad fenyn.

Rosalind Tybed, ffŵl?

Touchstone Wel, dyma ichi flas –
'Os am ewig y mae'r hydd,
Ceisied Ros'lind nos a dydd.
Os yw cath am gath yn brudd,
Felly, am rywun, Ros'lind fydd.
Lle i'r ŷd mewn ydlan sydd,
A lle i Ros'lind yn y gwŷdd.
Cleta'r ffrwyth, melysa'r sudd;
Dyna'r gwir am Ros'lind rydd."
Carlam ffals o benillion! Pam y myn.wch eich heintio eich hun â hwy?

Rosalind Gosteg ffŵl dwl. Fe'u tynnais oddi ar bren.

Touchstone Yn wir, mae'r pren yn dwyn ffrwyth drwg.

Rosalind Fe'i himpiaf â thi, a byddai felly'n ei impio â medlar. Wedyn, fe ddwg y ffrwyth cynara'n y wlad; achos, mi fyddi di'n bwdr cyn hanner aeddfedu, a dyna brif rinwedd y medlar.

Touchstone Fe'i dwetsoch: ond ai doeth ai annoeth y dywediad, – barned y fforest.

(Enter CELIA, yn darllen papur).

Rosalind Ust! dyma fy chwaer yn dod: mae'n darllen: clywch!

Celia

'Ai diffeithwch yma sydd?
Mangre anghyfannedd? – Na:
Rhoi tafodau 'rwyf i'r gwŷdd,
Modd y traethont wersi da.
Dweud mor fyr yw bywyd brau
Dyn, ar bererindod chwim:
Dweud bod rhychwant yn amgáu
Swm ei hoedel fach i'r dim.
Dweud am dor-adduned ddwys
Rhwng eneidiau ffrind a ffrind;
Ond fe gaiff pob cangen lwys
Sôn am rinwedd Rosalind:
Neu 'sgrifennu'i henw mêl
Ymhob brawddeg ar wahân,
Fel y dysgo pawb a'u gwêl –
Hanfod popeth prydferth, glân.
Trefnodd Natur yn ddi-goll
Fod grasusau penna'r byd
Wedi ymgyfarfod oll
Mewn un rhiain gain ei phryd.
Grudd, nid calon, Helen gynt;
Urddas Cleopatra o'r bron:
Dawn Lwcresia, drist ei hynt;
Sioncrwydd Atalanta lon.
Felly'r holl gynheddfau drud,
Gwn i Rosalind a roed:
Glendid calon, trem a phryd,
Yn anad unrhyw ferch erioed.
Mynnai'r Nef ei dewis hi
I reoli f'einioes i.'

Rosalind O! bregethwr tirion, y fath lith boenus o serch i flino dy gynulleidfa â hi, ac heb unwaith ddywedyd: "Amynedd, wrandawyr mwyn".

Celia 'Rŵan, gyfeillion, ffwrdd chwi. Fugail, dos o'r neilltu ychydig: tithau, syre, dos gydag-ef.

Touchstone Tyrd, fugail; gad inni gilio'n urddasol, os nad â'n bag a'n bageds, eto â'n sgrepan a'n sgripeds.

(Exeunt CORIN a TOUCHSTONE)

Celia 'Glywaist-ti'r penillion?

Rosalind Do, fe'u clywais i gyd, – a mwy hefyd, – gan fod mwy o gymalau mewn ambell un nag a ddaliai'r llinellau.

Celia 'Dyw hynny nac yma nac acw: gallai'r cymalau ddal y llinellau.

Rosalind Ie, – ond 'roedd y cymalau'n gloff; ni allent ymgynnal heb y pennill, ac felly 'roeddynt yn hercian yn y gân.

Celia Ond a glywaist-ti, heb ryfeddu, fel y crogwyd ac y cerfiwyd d'enw-di ar y prennau-'ma?

Rosalind Yr oeddwn saith niwrnod o'r naw allan o'r rhyfeddod cyn iti gyrraedd; canys gwêl yma'r hyn a gefais ar balmwydden. 'Chês-i mo f 'odli gymaint ers dyddiau Pithagoras, pan oeddwn innau'n llygoden Wyddelig, ond prin y medraf gofio'r peth.

Celia 'Wyddost-ti pwy 'wnaeth hyn?

Rosalind Ai dyn ydyw?

Celia A chadwyn, a wisgit ti gynt, o amgylch ei wddf. 'Wyt-ti'n swilio?

Rosalind Ond atolwg, pwy?

Celia Gwarchod pawb! Mae'n eithaf anodd i ffrindiau gwrddyd; ond gall mynyddoedd symud trwy ddaeargryn ac felly ymgyfarfod.

Rosalind Ond yn wir, pwy ydyw?

Celia A yw'n bosibl?

Rosalind Ond 'rwy'n crefu arnat yn awr yn angerddol daer, gad imi wybod pwy ydyw.

Celia O! rhyfeddol, rhyfeddol; rhyfeddaf ryfeddol; mwy fyth ryfeddol; a hwnt i bob syndod wedyn!

Rosalind Yn enw pob swildod! 'wyt-ti'n meddwl, gan fod diwyg dyn amdanaf, fod clos a gwasgod yn fy natur? Byddai modfedd 'chwaneg o oedi yn llond Môr y De o ddyfalu. Yn rhodd, dwêd pwy ydyw, a llefara'n sydyn. O! na ddechreuit frygawthan, ac arllwys y dyn cuddiedig o'th enau, fel gwin yn dod allan o geg fain potel, naill ai gormod ar y tro neu ddim o gwbl! Atolwg, tyn y corcyn o'th enau, fel y gallwyf ddrachtio'r newyddion. Sut ddyn ydyw? Ai Duw a'i gwnaeth? Ydi'i ben-o'n werth het, neu 'i ên-o'n werth barf?

Celia Na, mae'i farf-o braidd yn brin.

Rosalind Fe enfyn Duw ragor, os bydd yntau'n ddiolchgar. 'Rwy'n fodlon i aros am gynnydd ei farf, os peidi â'm rhwystro rhag 'nabod ei ên.

Celia Y llanc Orlando ydyw, a dripiodd sodlau Siarl a'th galon dithau'r un eiliad.

Rosalind Twt; ymaith â smaldod: llefara'n ddoeth fel merch ifanc ddwys.

Celia Ond yn wir, efô yw.

Rosalind Orlando?

Celia Orlando.

Rosalind Och, y dydd! Beth wnaf â'm gwasgod a'm clos? P'le'r oedd-o? Beth ddwedodd-o? Sut olwg oedd arno? Sut wisg? Pam y daeth yma? 'Oedd-o'n holi amdanaf? P'le mae-o'n aros? Sut y 'madawodd â thi? a pha bryd y gweli ef eto? Ateb-fi mewn un gair.

Celia Dyro fenthyg ceg Gargantiwa imi'n gyntaf: mae'n air rhy fawr i eneuau'r oes hon. Mae dweud ie a nac-e wrth yr holl fanylion hyn yn fwy nag ateb mewn catecism.

Rosalind Ond a ŵyr ef fy mod i yn y fforest? ac yn nillad dyn? Ydi-o'n edrych cystal ag oedd-o ddiwrnod yr ornest?

Celia Haws cyfrif mân lwch y cloriannau na chwrdd â gofynion cariadferch: ond rho gyfle imi ddweud sut y'i gwelais; cei dithau gnoi dy gil ar y ffeithiau. Deuthum o hyd iddo'n gorwedd dan dderwen, fel mesen ar lawr.

Rosalind Nid rhyfedd ei galw yn goeden y duwiau, a hithau'n diferu'r fath ffrwyth.

Celia Ond madam annwyl, erglyw.

Rosalind Dos ymlaen.

Celia Gorweddai felly, ar wastad ei gefn, fel marchog clwyfedig.

Rosalind Er tristed golygfa o'r fath, mae'n burion anrhydedd i'r llawr.

Celia Rho ffrwyn ar dy dafod, da thi: mae-hi'n nogio'n anamserol. Gwisg heliwr oedd amdano.

Rosalind O! mae'n argoeli'n ddrwg. I saethu fy nghalon y daeth.

Celia Mi garwn ganu fy nghân heb fyrdwn: paid â'm gwthio allan o diwn!

Rosalind Oni wyddost mai merch ydwyf? Os daw syniad i'm pen, ni allaf lai na'i fynegi. Dos ymlaen.

Celia 'Rwyf wedi colli'r pen llinyn. Ust! ai efô sy'n dyfod?

Rosalind Ie, efô. Llithra o'r golwg a chadw dy lygad arno.

(Â'r ddwy o'r neilltu).

Enter ORLANDO a JAQUES

Jaques Diolchaf am eich cwmni; ond, coeliwch fi, byddai'n well gennyf fod ar fy mhen fy hun.

Orlando Felly, finnau: ac eto, o ran cwrteisi, diolchaf ichwi am eich cymdeithas.

Jaques Rhad arnoch! gadewch inni gwrdd mor anaml ag sy bosib'.

Orlando Byddai'n dda gennyf pe baem well dieithriaid.

Jaques	Atolwg, peidiwch ag andwyo 'chwaneg o brennau trwy 'sgrifennu caneuon serch ar eu rhisgl.
Orlando	Atolwg, peidiwch chwithau ag andwyo 'chwaneg o'm cerddi trwy eu darllen mor feirniadlyd.
Jaques	A Rosalind, felly, yw enw eich cariad?
Orlando	Ie, Rosalind.
Jaques	Nid wyf yn hoffi'r enw.
Orlando	'Doedd neb yn meddwl am eich plesio chi, ddwthwn ei bedyddio.
Jaques	Pa daldra sydd iddi?
Orlando	O, tuag uchdwr fy nghalon.
Jaques	'Rŷch yn llawn atebion pert. Fe'u gwelsoch ar fodrwyau, a'u dysgu ar eich cof, mae'n debyg, trwy gyfathrach â gwragedd aur-ofaint.
Orlando	Na, nid felly: mae f 'atebion yn fyr ac i'r pwrpas, 'run fath â'ch cwestiynau chwi.
Jaques	Y fath arabedd cyflym! Fe'i gwnaethpwyd o sodlau Atalanta, bid siŵr. Gadewch inni eistedd ein dau, a chwythu celanedd yn erbyn ein meistres, y byd, – a'i holl drueni.
Orlando	Ni chondemniaf unrhyw berchen anadl heblaw fi fy hun. 'Does neb yn llawnach o fai na fi.
Jaques	Eich bai gwaethaf chwi yw bod mewn cariad.
Orlando	Mae'n fai nas newidiwn am eich rhinwedd gorau chwi. 'Rwyf wedi 'laru arnoch.
Jaques	Ar fy ngwir, chwilio am ffŵl yr oeddwn pan ddeuthum ar eich traws.
Orlando	Mae hwnnw wedi boddi yn y nant: edrychwch yn y dŵr, ac fe'i gwelwch.
Jaques	Yno cawn weld fy nelw fy hun.

Orlando A dyna weld naill ai ffŵl ai seiffar.

Jaques Ni thariaf yn hwy gyda chwi. Yn iach, Signior Serch!

Orlando Byddaf falch o weld eich cefn. Ffar-wel, Monsieur Melancoli; ffar-wel.

(Exit JAQUES. Daw CELIA a ROSALIND i'r golwg)

Rosalind *(O'r neilltu wrth CELIA)* Mi siaradaf ag-o fel ffwtmon sosi, ac yn y cymeriad hwnnw byddaf gastiog ag-ef. *(Wrth ORLANDO)* Ydach-chi'n clywed, fforestwr?

Orlando Yn burion: beth a fynnwch?

Rosalind Atolwg, faint o'r gloch?

Orlando Dylsech ofyn faint o'r dydd: nid oes gloc yn y fforest.

Rosalind Felly 'does-'ma'r un carwr triw yn y fforest: pe amgen, ac yntau yn ochneidio bob munud ac yn griddfan bob awr, gallai ddilyn troed diog amser yn well na'r un cloc.

Orlando Pam nad troed 'cyflym' amser? Oni fuasai'r un mor briodol?

Rosalind Ddim o gwbl, syr. Mae Amser yn wahanol gyda gwahanol bobl. Gallaf ddweud efo pwy mae'n rhygyngu, fel tae; efo pwy mae'n tuthio; efo pwy mae'n carlamu; ac efo pwy mae'n sefyll yn stond.

Orlando Wel, efo pwy mae-o'n tuthio, fel tae?

Rosalind O, mi ddwedaf wrthych. Mae'n tuthio'n bur drwm efo merch ieuanc rhwng dydd ei dyweddïo a dydd ei phriodas. Petai'r bwlch ddim ond wythnos, byddai troed Amser mor araf nes i'r wythnos fod cyn hired ag wyth mlynedd.

Orlando Efo pwy mae Amser yn rhygyngu?

Rosalind Efo 'ffeiriad prin o Ladin a gŵr cyfoethog heb y gowt. Mae'r naill yn cysgu'n hawdd am na all astudio, a'r llall yn byw'n llawen am nad yw'n teimlo poen. Ni ŵyr y naill am gledi a gwastraff dysg, na'r llall am bwysau blin y baich o dylodi. Efo'r rhain y mae Amser yn rhygyngu, fel tae.

Orlando Efo pwy mae'n carlamu, fel tae?

Rosalind Efo lleidr at y crocbren: canys er i'w gam fod mor drwm ag sydd bosib', mae'n cyrraedd y nod yn llawer rhy fuan.

Orlando Ac efo pwy mae'n sefyll yn stond, fel tae?

Rosalind Efo twrneiod yn ystod y gwyliau: maent yn cysgu o un term i'r llall, heb sylwi ar gwrs Amser o gwbl.

Orlando Ymhle'r ŷch yn byw, lanc teg?

Rosalind Efo'r fugeiles hon – fy chwaer; yma ar gwrr y fforest, fel godre pais.

Orlando A ydych yn frodor?

Rosalind Fel cwningen a drig lle'i cenhedlwyd.

Orlando Ond ni allsech brynu acen mor gain mewn mangre mor anghysbell.

Rosalind Mae llawer yn dweud yr un peth: ond fe'm dysgwyd i siarad gan hen ewyrth crefyddol a dreuliodd ei febyd yn y dref. Bu'n rhy gynefin â llwybrau serch, canys syrthiodd mewn cariad yno. Fe'i clywais yn traethu llawer llith yn erbyn y peth; a diolchaf i Dduw nad merch ifanc mohonof, wrth gofio'r fath liaws o ddrygau atgas y clywais ef yn cyhuddo'r holl ryw fenywaidd ohonynt.

Orlando 'Fedrwch chi ddweud rhai o'r prif ddrygau a briodolai ef iddynt?

Rosalind Dim un yn arbennig: 'roeddynt oll mor debyg i'w gilydd â cheiniogau, pob diffyg yn ymddangos yn fwyaf gwarthus nes i'w gymar gael ei enwi.

Orlando Da chwi, ceisiwch nodi ambell un.

Rosalind Na, nid wyf am luchio fy ffisig at neb ond yr afiach. Mae-'na ddyn yn rhywle'n y goedwig-'ma sy'n camdrin ein planhigion ifainc trwy gerfio 'Rosalind' ar eu crwyn, – hongian pryddestau ar ddrain a galarnadau ar ddrysi: y cyfan, bondigrybwyll, i ddyrchafu enw Rosalind. Pe cawn afael arno, mi rown dipyn o bregeth i'r creadur breuddwydiol. Ymddengys bod cryd gwaethaf cariad wedi cydio ynddo.

Orlando Myfi sy'n glaf o'r cyfryw serch-gryndod. Pa feddyginiaeth, atolwg, sydd gennych i'w chynnig?

Rosalind 'Does dim un o farciau f 'ewythr arnoch chwi. Fe'm dysgodd i 'nabod dyn claf o gariad: ac yn bendifaddau, 'tydych **chwi** ddim yn gaeth yng nghawell frwyn serch.

Orlando Beth oedd y marciau hynny?

Rosalind Grudd wedi curio; ond nid felly chwi. Llygaid molglafaidd; ond nid felly chwi. Ysbryd tawedog; ond nid felly chwi. Barf heb ei chribo; ond nid felly chwi: ond rhof bardwn ichwi am hynny; 'tydi'ch tyfiant o farf ond cynhysgaeth brawd iau; a beth am hosan heb ardas, boned heb gwlwm, llawes heb fotwm, esgid heb garrai; a sut nad yw popeth o'ch cwmpas yn arddangos di-ofalwch gresynus? Na; nid dyn felly mohonoch. 'Rydach chi'n berffaith daclus, fel pin mewn papur, ac fel pe'n eich caru eich hun yn fwy na neb arall.

Orlando Lanc annwyl, mi hoffwn fedru d'argyhoeddi fy **mod**-i mewn cariad.

Rosalind F'argyhoeddi fi? Haws ichi ddarbwyllo'r eneth yr ydych mewn cariad â hi. Byddai hithau, mi wrantaf, yn barotach i'ch credu nag i addef ei chred. Mae merched bob amser yn twyllo'u cydwybod fel yna. Ond dwedwch y gwir: ai chwi sy'n hongian penillion ar y coed gyda'r fath edmygedd o Rosalind?

Orlando Myn llaw wen Rosalind, ŵr ifanc, myfi – druan bach – yw'r pechadur.

Rosalind Ond a ydych gymaint mewn cariad ag a ddywaid eich odlau?

Orlando Ni all nac odl na rhithm na rheswm fynegi pa faint.

Rosalind Nid yw serch ond gwallgofrwydd; a choeliwch fi, mae'n haeddu cell dywyll a chwip lawn cymaint â hwnnw. Fe'i trinid ac fe'i cospid yn gyffelyb oni bai fod y chwipwyr eu hunain mewn cariad. Eto i gyd, 'rwy'n honni medru'i wella trwy gyngor.

Orlando 'Ydych-chi wedi iachau rhai o'r fath?

Rosalind Do, un; ac yn y modd hwn. 'Roedd y llanc i dybio mai fi oedd ei gariad; ac erchais iddo 'nghanlyn yn gyson bob dydd; 'roeddwn innau 'run pryd, fel llencyn chwit-chwat, i ymarweddu'n ferchetaidd, – i hiraethu, anwadalu, ymboeni a gwirioni; i fod yn falch, ffantastig, mwncïaidd, arwynebol ac oriog; weithiau'n wylo, weithiau'n chwerthin: rhywbeth o bob teimlad, ond dim o unrhyw deimlad yn iawn, gan mai adar symudliw fel yna yw'r rhan fwyaf o'r bechgyn a'r genethod. Ambell dro fe'i difyrrwn, ac wedyn ei wadu; weithiau wylo amdano, dro arall poeri ar ei ben; ac felly y gyrrais f 'edmygydd o'i hiwmor gwallgof o serch i hiwmor bywiol o wallbwyll, hynny yw, i gefnu ar ddiddordeb a phrysurdeb y byd, ac i fyw mewn cilfach hollol fynachaidd. Felly y gwnaed ef yn iach; ac yn yr un dull, 'rwy'n barod i olchi eich afu chwithau cyn laned â chalon llwdwn diglefyd, heb adael y mymryn lleiaf o gariad o'i fewn.

Orlando Ond ni'm hiacheid i byth, lanc annwyl.

Rosalind 'Rwy'n sicr o'ch gwella, os cytunwch i'm galw yn Rosalind, a dod draw i'm bwthyn bob dydd, a chymryd arnoch fy ngharu.

Orlando O'r gorau, myn cywirdeb fy serch, mi wnaf. Ymhle mae'r bwthyn?

Rosalind Dowch gyda-mi'n awr ac fe'i dangosaf ichwi; a chewch chwithau ar y ffordd ddweud wrthyf ymhle'n y fforest y preswyliwch. 'Ddowch-chi?

Orlando Â'm holl galon, lanc da.

Rosalind Na; rhaid ichwi 'ngalw'n Rosalind! Chwithau, fy chwaer, dowch gyda ni.

(Exeunt)

GOLYGFA III
Rhan arall o'r goedwig

Enter TOUCHSTONE ac AUDREY a JAQUES o'u lledol

Touchstone Tyrd, hel dy draed, Audrey bach. Mi gyrchaf y geifr iti, Audrey. Ac yn awr, Audrey, beth amdani? Ai fi ydi'r dyn? 'Ydi 'ngosgedd ddiniwed wrth dy fodd?

Audrey Eich gosgedd? Duw a'm helpo! Pa osgedd?

Touchstone 'Rwyf yma, myn gafr, gyda thi a'th eifr, fel y bardd tra mympwyol hwnnw, Ofydd druan gynt, yn gaeth ymhlith y Gothiaid.

Jaques *(o'r neilltu)* O! wybodaeth chwith ei llety – gwaeth na Jupiter mewn tŷ to gwellt!

Touchstone Pan fether â deall penillion dyn, a phan yw'r plentyn sgut Dealltwriaeth yn ddall i ffraethineb dyn, mae'n ergyd fwy marwol i'w deimlad na gorfod talu trwy'i drwyn am lety di-lun. Och! na welsai'r duwiau'n dda dy gynysgaeddu ag awen.

Audrey Beth ar wyneb y ddaear ydi awen? Ydi-o'n onest mewn gair a gweithred? Ydi-o'n rhywbeth gwirioneddol?

Touchstone A dweud y gwir, nac ydyw. Yr awen orau sy'n fwyaf twyllodrus. Mae cariadon yn hoff o'r awen; a phan dyngont yn awenyddol, gellir dweud eu bod, fel cariadon, yn llawn twyll.

Audrey Ac eto mae'n ddrwg gennych nad oes dim awen yn agos ataf!

Touchstone Ydi'n wir. 'Rwyt yn tyngu wrthyf dy fod yn onest. Ond, pe baut yn fardd, gallwn led-obeithio mai twyllo yr wyt.

Audrey 'Fasai'n well gennych imi beidio â bod yn onest?

Touchstone Na fasai'n wir, heb dy fod hefyd yn hyll. Mae clymu onestrwydd a phrydferthwch ynghyd yn waeth na rhoi mêl yn saws efo siwgr.

Jaques *(o'r neilltu)* Sylweddol ffŵl.

Audrey Wel, 'tydw-i ddim yn brydferth: ac felly 'rwy'n gofyn i'r duwiau fy ngwneud yn onest.

Touchstone Ie, ond mae gwastraffu onestrwydd ar slwt hagr fel rhoi cig da mewn dysgl fudr.

Audrey 'Tydw-i ddim yn slwt; ond diolch i'r duwiau 'mod-i'n hagar.

Touchstone Wel, boed mawl i'r duwiau am dy hagrwydd: gall slytrwydd ddyfod rhagllaw. Ond bid a fynno, fe'th briodaf; ac i'r perwyl hwnnw bûm gyda Syr Olifer Martext, ficer y plwyf cyfagos. Mae-o wedi addo 'nghyfarfod yn y rhan hon o'r fforest, i'n cyplu.

Jaques *(o'r neilltu)* Mi garwn weld y cyfarfod hwn.

Audrey Wel, rhoed y duwiau fwynhad inni'n dau.

Touchstone Amen! Gallai dyn, petai'n ofnus ei galon, stagro'n yr ymgais hon; canys yma nid oes demel ond y goedwig, na chynulleidfa ond anifeiliaid corniog. Ond – ba waeth? Dewrder amdani! Os cas yw cyrn, maent yn angenrheidiol. Mae llawer dyn, meddir, na ŵyr ddiben ei ffortiwn; mae llawer dyn a chanddo gyrn da, heb wybod i ba amcan. Wel, dyna waddol ei wraig, ac nid ei gaffaeliad ei hun. Cyrn? Ie, siŵr. I dlodion yn unig? Na, na; mae cyrn y carw gwychaf mor helaeth ag eiddo'r gwaelaf. A yw'r dyn di-briod gan hynny yn lwcus? Na: megis y mae tref gaerog yn deilyngach na phentref, felly y mae talcen gŵr priod yn fwy urddasol nag ael noeth yr hen lanc; ac yn gymaint â bod amddiffyniad yn well na diffyg modd i ymladd, felly y mae meddu ar gorn yn fwy gwerthfawr na bod hebddo. Dyma Syr Olifer yn dod.
(Enter SYR OLIFER MARTEXT)
Syr Olifer Martext, 'rwy'n falch o'ch gweld. 'Wnewch-chi'n sodro ni yma dan y goeden, neu beth am fynd gyda-chi i'r capel?

Syr Olifer 'Oes yma rywun i roi'r fenyw i ffwrdd?

Touchstone 'Chymera-i moni yn rhodd gan neb byw.

Syr Olifer Ond yn wir, heb gael rhywun i'w rhoi, bydd y briodas yn anghyfreithlon.

Jaques *(Yn dyfod i'r golwg)* Ymlaen, ymlaen: gallaf fi ei rhoi ymaith.

Touchstone Noswaith dda, Meistr Beth'ma: sut yr ydych? Lwc ichi ddyfod! Duw a dalo ichi am eich cwmni o'r blaen. 'Rwy'n falch o'ch gweld. Rhyw degan i'm llaw sydd yma, syr. Peidiwch â chodi'ch het.

Jaques A fynnech briodi, fwtlai?

Touchstone Mae iau i'r ych, syr, ffrwyn i'r march, a chlych i'r hebog; felly mae i ddyn ei chwantau.

Jaques 'Ydych chwi, sy'n ddyn diwylliedig, am briodi dan lwyn, fel beger? Ewch draw i'r eglwys, a cheisiwch offeiriad 'all ddweud wrthych beth yw priodas. Am y creadur hwn – fe'ch cysyllta ynghyd fel cysylltu dwy 'styllen, ac yna bydd un ohonoch yn crebachu, ac, fel pren glas, yn siŵr o walpio, walpio.

Touchstone *(o'r neilltu)* 'Rwyf bron â thybio y byddai'n llawn cystal i hwn fy mhriodi. Nid yw'n debyg o'n priodi'n briodol; ac wedi fy mhriodi yn amhriodol byddai gennyf esgus da wedyn i adael fy ngwraig.

Jaques Tyrd gyda mi, a gad imi gynghori tipyn arnat.

Touchstone Tyrd, Audrey bach: mae'n rhaid inni briodi'n iawn. Ffar-wel, Meister Olifer annwyl: nid –

O! fwyn Olifer
O! ddewr Olifer,
Atolwg, paid â'm gado:

ond –

Dos draw i dre,
Rhag-llaw o'r lle.
Ni fentraf i'r llan gyda thi.

(Exeunt JAQUES, TOUCHSTONE ac AUDREY)

Syr Olifer 'Tydi-o yma nac acw. 'Chaiff yr un cnaf castiog ohonynt i gyd fy nhwyllo i o'm galwedigaeth.

(Exit)

GOLYGFA IV

Rhan arall o'r goedwig. Bwthyn yn y cefn.

Enter ROSALIND a CELIA

Rosalind Paid â siarad â mi; mae arnaf eisiau wylo.

Celia Atolwg, gwna: ond cystal i ti gofio nad yw dagrau'n gweddu i ddyn.

Rosalind Wel, onid oes gennyf achos i wylo?

Celia Ni ellid dymuno gwell achos; ac felly, wyla.

Rosalind Mae hyd yn oed lliw ei wallt yn dwyllodrus.

Celia Mae braidd yn fwy brown na gwallt Judas; ac am ei gusanau, – wel, plant Judas ei hun yw'r rheiny.

Rosalind Ond yn wir, mae'i wallt o liw da.

Celia Rhagorol: 'fu 'rioed hefelydd lliw'r gneuen.

Rosalind Ac am ei gusanau, maent mor bur â chyffyrddiad y bara sanctaidd.

Celia Fe brynodd bâr o wefusau fel eiddo Diana. Nid oes unrhyw fynaches oer-ddiwair 'all gusanu'n fwy defosiynol. Mae ias rhew diweirdeb i'w finion.

Rosalind Ond pam y dywedodd ar ei lw y deuai ataf heddiw'r bore, ac wedyn peidio â dwad?

Celia Wel ie, mae'n rhaid nad oes wir yn ei enau.

Rosalind 'Wyt-ti'n meddwl hynny?

Celia Ydwyf. 'Rwy'n sicr nad lleidr pen ffordd na lleidr ceffylau mohono; ond parthed cywirdeb mewn serch, mae'n hollol goeg – fel cwpan gwag neu gneuen bwdr.

Rosalind Carwr anghywir?

Celia Mae'n gywir pan fo'n caru; ond ofnaf nad yw'n caru mwyach.

Rosalind Fe'i clywaist yn haeru'n bendant ei fod.

Celia Yr 'oedd', – ond nid 'ydyw'. Mae llai o rym yn llw carwr nag yng ngair gwas tafarn; rhai gwych am gam-gyfri' yw'r ddau. Mae-o yn y goedwig yn rhywle yn gweini ar y Dug – dy dad.

Rosalind Cyfarfûm â'r Dug, ddoe ddiwethaf, a bu wrthi'n fy holi'n bur fanwl. Gofynnai pwy oedd fy nhad a'm mam. "Maent cystal pobl â chwithau" meddwn wrtho; ac fe chwarddodd, a gadael imi fynd. Ond pam y soniwn am dadau, tra bo'r cyfryw ddyn ag Orlando?

Celia O! dyna ddyn braf; mae'n llunio cerddi braf, yn siarad geiriau braf, yn tyngu llwon braf, ac yn eu torri'n braf ar letraws calon ei gariad, fel marchog anfedrus yn sbarduno'i farch ar un ochr, ac yn torri'i waywffon fel clagwydd bonheddig. Ond braf yw popeth y mae'r ifanc yn ymgymryd ag ef, a ffolineb yn tywys! Pwy sy'n dyfod yn awr?

(Enter CORIN)

Corin Fy meistr a'm meistres, holsoch lawer iawn
Ynghylch y bugail ifanc, trist ei serch,
Oedd yma'n eistedd gyda-mi dro'n ôl,
Yn canmol y fugeiles falch, sarhaus,
A garai gymaint.

Celia Wel, a beth amdano?

Corin Os hoffech weled actio pasiant dwys
Rhwng gwelwder gwedd gwir gariad ar un llaw,
A fflamgoch wrid gor-falchder ar y llall,
Dowch draw ychydig: fe'ch arweiniaf chwi,
Os mynnwch ddilyn.

Rosalind Tyrd; symudwn, ferch.
Gall gweld cariadon fod yn fwyd i'm serch.
(wrth CORIN) Dwg ni i'r fan, a chei fy ngweld, mi wn,
Yn actor pwysig yn y pasiant hwn.

(Exeunt)

GOLYGFA V
Rhan arall o'r Goedwig

(Enter SILVIUS a PHEBE)

Silvius O! Phebe, na'm dirmyga. Atolwg, Phebe,
Dywed na'm ceri, ond paid â'i ddweud, fel hyn,
Mewn chwerwder, chwaith: cans nid yw'r dienyddiwr,
Er cleted calon hwn, o fynych ladd,
Yn gado i'w fwyell ddisgyn ar druenus wddf
Heb ofyn pardwn. Ai mwy dreng tydi
Na'r sawl sy'n byw ar goch ddiferion gwaed?

(Enter ROSALIND, CELIA a CORIN draw)

Phebe Ni fynnwn i dy ddienyddio, lanc:
Yn hytrach, rhag dy frifo, 'rwy'n d'osgoi.
Mae mwrdwr yn fy llygaid, meddet ti;
Peth od, bid siŵr, a go debygol, yw
Fod rhywbeth tyner, gwan, fel llygad bun,
Sy'n cau, mewn ofn, rhag mymryn bach o lwch,
Yn cael ei alw'n deirant, cigydd, llofrudd!
'Rwy'n cuchio arnat 'rŵan â'm holl nerth:
Ac os gall llygad ladd, wel, syrthia i lawr.
Tyrd, cais lesmeirio, a threnga ger fy mron.
Neu, os na fedri, rhag dy g'wilydd di
Yn dweud mai llofrudd yw fy llygad. Tyrd,
Dangos y clwyf a roes fy llygad it.
Cripied blaen pin dydi, ac erys briw
Y man lle bu. Rho bwys dy law ar frwynen,
Ac wele'i hôl a'i phendant argraff hi
Am eiliad ar dy gledr: ond, er mor gas,
Ni all fy llygad dy niweidio ddim.
Nid oes gan lygad nerth, 'rwy'n berffaith siŵr,
I glwyfo undyn.

Silvius O! fy Phebe annwyl
Os rywdro – a gall y rhywdro fod ger llaw –
Y swynir d'enaid gan ryw ffresni grudd,
Cei dithau brofi yr anweledig glwyf
A bair llym saethau serch.

Phebe Wel, doed a ddel:
Gad lonydd imi'n awr. Os digwydd hynny,
Cei 'ngwawdio'n braf, a heb dosturio dim.
Yn y cyfamser, di-drugaredd wyf.

Rosalind *(Yn dod ymlaen)* A pham, atolwg? Beth oedd naws eich mam,
A bod ei merch yn arllwys gwawd mor frwnt
Ar gost truanddyn? Cans, nid prydferth monoch:
Fe ellwch fforddio mynd i'ch gwely'r nos
Yn hawdd heb olau cannwyll. A pha raid
I chwi, gan hynny, fod mor greulon falch?
Hai, beth sy'n bod? Paham y rhythwch arnaf?
Ni welaf ynoch ragor nag a fedd
Cyffredin nwyddau Natur. Hawyr bach!
Mae fel pe'n ceisio cael fy llygaid innau
I'w rhwyd, yr hoeden: ond gwaith ofer yw.
Ni all eich aeliau du, eich sidan wallt,
Eich disglair drem, na'ch llaethwyn ruddiau chwaith,
Byth bythol fy mherswadio i'ch addoli.
O! fugail ynfyd! paid â'i chanlyn hi
Fel niwl y Dehau, sy'n llawn gwynt a glaw!
'Rwyt fil o weithiau yn amgenach llanc
Nag ydyw hi o lances. Rhai fel ti
Sy'n llenwi'r byd ag anolygus blant.
Tydi, ac nid ei drych, sy'n ffalsio iddi:
Mae'n gweld ei hunan ynot ti'n fwy tlws
Nag y mae'i ffurf a'i gwedd yn gwrantu.
Ymgroeswch, ferch: penliniwch ger ei fron;
A rhoddwch fawl i'r Nef am serch dyn da.
Mi ddwedaf hyn, yn dirion yn eich clust,
Gwerthwch tra medroch: ni fwriadwyd monoch
Ar gyfer pob rhyw farchnad! Cerwch ef;
Ceisiwch ei bardwn; ymostyngwch iddo.
Cans gwaethaf bryntni, bryntni merch sy'n gwawdio.
Ac felly, fugail, cymer hi. Ffarwél.

Phebe Lanc hoff, ceryddwch fi am flwyddyn gyfa':
Mil gwell eich cerydd chwi na chariad hwn.

Rosalind Fe syrthiodd ef mewn cariad â'i hagrwch hi; mae hithau am syrthio mewn cariad â'm dicter innau. O'r gorau, ynteu; nid cynt yr etyb di ag aeliau cuchiog, nas brathaf innau'n ôl â geiriau sosi. Pam y rhythwch arnaf fel yna?

Phebe O! nid am unrhyw gas i'ch erbyn.

Rosalind Wel, na feddyliwch am fy ngharu fi.
Mwy ffals nag addunedau meddwyn wyf.
Nid wy'n eich hoffi chwaith. Mae'r lle 'rwy'n byw,
Os carech wybod hynny, ger y llwyn

Olewydd acw. 'Ddoi-di'n awr, fy chwaer?
Dal ati'n ddygyn, fugail. Chwaer fach, tyrd.
Fugeiles, edrych dithau arno'n well:
Ac na fydd falch; cans dyna'r gwir mi wn, –
Fu neb erioed mor gibddall â'r llanc hwn.
Awn at ein praidd.

(Exeunt ROSALIND, CELIA a CORIN)

Phebe Fugail fu farw, ti sy'n iawn, mi welaf:
"Gwir serch nid oes ond serch yr olwg gyntaf".

Silvius Phebe annwyl –

Phebe Ha, beth ddwedi, Silvius?

Silvius O! Phebe, trugarhewch!

Phebe Wel, 'rwy'n gofidio drosot, Silvius fwyn.

Silvius A phan fo gofid, oni ddêl rhyddhad?
Os ydyw cur fy serch yn ofid iwch,
Pe'm carech, fe ddileid eich gofid chwi
A'r tristwch mau 'run pryd.

Phebe Mae 'ngharaid gennyt: onid tirion wyf?

Silvius Dymunwn eich cael **chwi**.

Phebe Mae hynny'n drachwant.
Bu adeg unwaith, Silvius, y'th gasáwn:
Eto, nid dweud yr wyf y caraf di.
Ond gan mor wych dy ddawn i sôn am serch,
Mae'r cwmni tau, oedd gynt mor atgas im,
Yn werth ei oddef: a bydd help dy law
Yn fuddiol im: ond paid â disgwyl tâl
Amgenach na'r mwynhad o'r gwaith ei hun.

Silvius Mor sanctaidd ac mor berffaith yw fy serch,
A minnau mor ddiffygiol o bob gras,
Cynhysgaeth digon hael a fyddai i mi
Gael lloffa'r gweddill grawn yn sgîl yr hwn
A fedai'r prif gynhaeaf. Gollwng wên
Yn awr ac yn y man, a digon fydd.

Phebe Pwy oedd y llanc fu yma yn sgwrsio â mi?

Silvius Yn wir, ni wn; ond gwelais ef o'r blaen:
Mae wedi prynu'r bwthyn a'r holl dir
A oedd ym meddiant yr hen gybydd gynt.

Phebe Nid o serch ato, wrth gwrs, yr wyf yn holi.
Mae'n grwt rhy biwus; ond mae'i iaith yn wych.
Twt, waeth gen' i am eiriau: ac eto i gyd,
Maent wych pan fo'r llefarydd wrth eich bodd.
Mae'r llanc yn landeg: nid eithriadol landeg.
Mae'n falch, bid siŵr; ond gwedda'r balchder iddo.
Fe wna ddyn campus: y peth gorau ynddo
Yw lliw ei groen; ac 'roedd ei drem bob tro
Yn lleddfu brath ei dafod yn y fan.
Nid yw'n dál iawn; eto mae'n dal o'i oed.
Coes ddigon beth'ma; ac eto, mae'n ddi-fai.
'Roedd hefyd gochni swynol yn ei fin,
Rhyw goch aeddfetach a mwy lliwgar braidd
Na'r cochni ar ei ddwyfoch; y gwahaniaeth
Cyd-rhwng y rhosyn coch a'r rhosyn damasg.
Diau, pes gwelsid gan rai merched, Silvius,
Yn eglur fanwl, fel y'i gwelais i,
Syrthiasent, chwap, mewn cariad dwys ag ef.
Ond nid wyf fi'n ei garu na'i gasáu:
A dylwn goledd mwy o gas na serch
Tuag at y dyn: achos, pa hawl a feddai
I'm dwrdio felly, a thaeru bod fy ngwallt
A'm llygaid yn rhy dduon: gwaeth na hynny,
('Rwy'n cofio 'nawr) fy ngwawdio a'm sarhau?
Mae'n syndod na thalaswn wawd am wawd:
Ond, bid a fo, nid atal yw ymatal.
Wel, mi 'sgrifennaf lythyr miniog ato;
Cei dithau fynd â'r neges, – wnei-di, Silvius?

Silvius Â chroeso calon, Phebe.

Phebe Af ati'n syth:
Mae'r deunydd yn fy mhen ac yn fy nghalon.
Ac O! mi fyddaf chwerw a chwta ag ef.
Tyrd 'rŵan, Silvius.

(Exeunt)

ACT IV

GOLYGFA I
Y Goedwig.

(Enter ROSALIND, CELIA a JAQUES)

Jaques Da thi, lanc glandeg, gad imi wybod mwy amdanat.

Rosalind 'Rydych chwi, medda'-nhw, yn greadur melancolaidd.

Jaques Eithaf gwir; mae'n well gennyf hynny na chwerthin.

Rosalind Mae pawb sy'n mynd i eithafion y naill ffordd neu'r llall yn giwed annymunol ac yn tynnu beirniadaeth gyfoes arnynt eu hunain yn waeth na meddwon.

Jaques Ond peth da yw bod yn brudd a dweud dim byd.

Rosalind Os felly, peth da yw bod yn bolyn.

Jaques Y melancoli mau, – nid eiddo'r 'sgolhaig mohono, sef efelychu; nid eiddo'r cerddor, sef dychmygu; nid eiddo'r gŵr llys, sy'n falch; na'r milwr, sy'n rhyfygus; na'r cyfreithiwr, sy'n ochelgar; na'r rhiain, sy'n neis; na'r carwr, sy'n bopeth o'r fath, – ond melancoli addas i mi fy hun; cymysgedd o lawer elfen, a dynnwyd allan o lawer peth, ac – wrth gwrs – o'r amryfal fyfyrio ynghylch fy nheithiau, yr hyn, o fynych gnoi cil arno, sy'n fy lapio â'r tristwch mwyaf anaele.

Rosalind Teithiwr! Myn fy nghred, mae gennych achos bod yn drist. Gwerthu eich tiroedd eich hun, mae'n debyg, i weld tiroedd pobl eraill. Gweld llawer a meddu ar ddim! Llygaid cyfoethog a dwylo tlawd!

Jaques Do, mi 'nillais fy mhrofiad.

(Daw ORLANDO i'r golwg)

Rosalind Ac mae hwnnw'n eich gwneud yn drist! Buasai'n well gennyf fi gael ffŵl i'm gwneud yn llawen, na phrofiad i'm gwneud yn drist, heb sôn am deithio i'w gael!

Orlando Dydd da, fwyn Rosalind!

Jaques O, wel, da bo-chwi, os siarad ar ddamhegion yr ydych.

(Exit)

Rosalind Yn iach, Monsieur Teithiwr: parhewch i siarad yn fyngus a gwisgo'n ddiarth, – lladd ar fanteision eich gwlad eich hun, casáu bro eich geni, a hyd yn oed felltithio Duw am eich gwneuthur yr hyn ydych, neu prin y mentraf dybio ichwi 'rioed rwyfo mewn gondola. 'Rŵan, 'rŵan, Orlando! p'le buoch-chi'r holl amser-ma? Chwychwi yn garwr? Os chwaraewch-chi'r tric yna drachefn â mi, cewch gadw draw am byth!

Orlando Fy Rosalind dlos, deuthum atoch o fewn awr i'm haddewid.

Rosalind Colli awr o addewid mewn cariad! Y neb a ranno funudyn yn fil o ddarnau, a cholli un darn o'r filfed ran o funud mewn serch-faterion, gellir dweud, efallai, fod Ciwpid wedi'i daro yn ei ysgwydd, ond 'rwyf fi'n ei wrantu'n holliach ei galon.

Orlando Eich pardwn, Rosalind annwyl.

Rosalind Na; a chwithau mor amhrydlon, cedwch o'm golwg byth mwy. 'Fasai waeth gennyf garu Meistr Malwen.

Orlando Caru Meistr Malwen?

Rosalind Ie, debyg iawn; cans er mor araf yw ef, mae'n cario'i dŷ ar ei gefn, – gwell bargen na dim allech chwi ei chynnig i ferch. Heblaw hynny, mae'n dwyn ei dynged gydag-ef.

Orlando A beth ydi honno?

Rosalind Wel, cyrn: pethau y mae dynion fel chwi yn ddyledus i'w gwragedd amdanynt. Ond mae ef yn dod ag arfau'i dynged gydag-ef, ac felly'n arbed gwaradawydd i'w wraig.

Orlando Nid yw rhinwedd yn delio mewn cyrn; ac mae fy Rosalind i yn rhinweddol.

Rosalind A'ch Rosalind chwi ydwyf fi.

Celia Mae'n fodlon i'ch galw felly, ond mae ganddo Rosalind sy'n llaesach ei gwên na chwi.

Rosalind Dowch, dowch: cerwch-fi. 'Rwy'n awr mewn ysbryd dydd gŵyl, ac yn dra thebyg o ildio. Beth ddwedech wrthyf yn awr, petawn i eich gwir a'ch unig Rosalind?

Orlando Fe'ch cusanwn cyn dweud yr un gair.

Rosalind Na; byddai'n well ichi siarad yn gyntaf. Pe digwyddai fynd yn fain arnoch am rywbeth i'w ddweud, gallasech gusanu'r adeg honno. Pan fydd areithiwr medrus yn teimlo ar goll, mae'n pesychu: ac i garwr, – pan fo'i sgwrs (Duw a'n helpo) wedi dirwyn i ben, – addasaf gwaith yw cusanu.

Orlando Ac os gwrthodir y cusan?

Rosalind Mae hithau felly'n eich cymell i grefu, a dyna ddeunydd sgwrs o'r newydd.

Orlando Ond pwy fasai'n teimlo ar goll, â'i anwylyd ei hun ger ei fron.

Rosalind Myn f 'enaid, felly basech-chi, petawn i'n gariad ichi; pe amgen, byddai 'niweirdeb yn dlotach na'm sgwrs . . . Onid myfi yw eich Rosalind?

Orlando Caf beth mwynhad wrth ddwedyd mai e; canys caraf sôn amdani.

Rosalind Wel, yn ei pherson hi, 'rwy'n dweud na fynnaf monoch.

Orlando Ac yn fy mherson fy hun 'rwyf innau'n trengi.

Rosalind Nac e'n wir, trengwch trwy ddirprwy. Mae'r byd druan bron yn chwe mil o flynyddoedd oed, ac yn ystod yr holl amser yna ni threngodd undyn yn ei berson ei hun, hynny yw, ddim o achos cariad. Maluriwyd ymennydd Troilws â phastwn Groegaidd, ac eto gwnaethai ei orau i farw yn gynt, ac y mae ef yn un o batrymau serch. Buasai Leander wedi byw am lawer blwyddyn braf, er i Hero droi'n fynaches, oni bai am ryw noswaith desog o haf: oblegid, fel llanc da, y cwbl a wnaeth oedd mynd i'r Helespont i ymdrochi, ac oherwydd y cramp, fe'i boddwyd: a chrwneriaid diniwed yr oes honno yn dyfarnu mai "Hero o Sestos" ydoedd. Ond celwydd yw'r cwbl i gyd. Bu dynion farw o dro i dro, a'u hysu gan bryfed, ond O! – nid marw o serch.

Orlando Nid yw fy ngwir Rosalind yn meddwl fel yna, gobeithio: achos, coeliwch fi, gallai'i chuwch hi fy lladd.

Rosalind Myn fy llaw hon, ni laddai wybedyn. Ond dowch, byddaf innau'n Rosalind rwyddach ei dull ichwi'n awr. Pa beth bynnag a ofynnwch, fe'i cewch.

Orlando Wel, cerwch-fi Rosalind.

Rosalind Gwnaf, debyg iawn, ddydd Gwener, ddydd Sadwrn a'r cwbl i gyd.

Orlando A gymerwch-chi fi?

Rosalind Gwnaf, ac ugain o'ch bath.

Orlando Beth ddwetsoch-chi?

Rosalind 'Rwyt yn dda, onid wyt?

Orlando Gobeithio fy mod.

Rosalind Wel, ynteu, a ellir chwennych gormod o beth da? Tyrd, fy chwaer, cei di fod yn offeiriad a'n priodi. Rhowch chwithau, Orlando, eich llaw i mi. Beth ddwedi, fy chwaer?

Orlando Atolwg, priodwch-ni.

Celia Ni allaf ddwedyd y geiriau.

Rosalind Dechrau fel hyn: "A gymeri di, Orlando – "

Celia Purion. A gymeri di, Orlando, y Rosalind hon yn wraig?

Orlando Cymeraf.

Rosalind Ie, ond pryd?

Orlando Y funud hon, debyg iawn: cyn gynted ag y gall hi ein priodi.

Rosalind Os felly, mae'n rhaid ichi ddweud, "Cymeraf di, Rosalind, yn wraig."

Orlando Cymeraf di, Rosalind, yn wraig.

Rosalind Gallwn ofyn ichwi am eich comisiwn; ond, fe'ch cymeraf chwi, Orlando, yn ŵr. Dyma'r eneth yn achub y blaen ar yr offeiriad! – ond, wrth gwrs, mae meddwl pob merch yn rhedeg o flaen ei gweithredoedd.

Orlando Dyna hanes meddyliau. Maent i gyd yn adeiniog.

Rosalind Dwêd i mi'n awr, pa hyd y mynnit ei chadw ar ôl ei chael?

Orlando Byth bythoedd ac undydd.

Rosalind Dywed 'undydd' – heb y 'byth bythoedd'. Na, na, Orlando: mae llanc yn fis Ebrill pan garo, ac yn fis Rhagfyr pan briodo. Mae hithau'r llances yn fis Mai cyn priodi, ond newidia'r awyr ar ôl y briodas. Byddaf fwy eiddigus ohonoch na'r ceiliog sguthan o'i gymar; yn fwy swnllyd na pharrot cyn glaw; yn fwy oriog nag epa; ac yn wylltach fy chwantau na mwnci: wylaf am ddim yn y byd, fel Diana wrth y ffynnon, a hynny pan fynnech fod yn llawen; a chwarddaf fel udfil pan fynnech fod ynghwsg.

Orlando Ond a wna fy ngwir Rosalind hynny?

Rosalind Gwna, myn f'einioes, yn union 'run fath.

Orlando Ond na, merch ddoeth ydyw hi.

Rosalind Pe amgen, ni wnâi'r pethau hyn. Po fwyaf doeth, mwyaf gwrthnysig a fydd. Caeër y drws ar grebwyll merch, ac fe ddianc allan drwy'r ffenestr; caeër honno, ac fe ddianc trwy dwll y clo; caeër hwnnw drachefn, ac fe ffy gyda'r mwg trwy'r simnai.

Orlando Gallai dyn a chanddo wraig â'r fath grebwyll ddwedyd, "Yr hoeden, ble'r ei-di?"

Rosalind Pw, gallech gadw'r ffrwyn hwnnw nes dal arabedd eich gwraig yn cyrchu gwely eich cymydog.

Orlando A pha ddawn arab gâi unrhyw arabedd i roi esgus i beth felly?

Rosalind Dweud, wrth gwrs, mai chwilio amdanoch chwi yr oedd. 'Ddaliwch-chi byth wraig yn fyr o ateb, os na chewch hi'n fyr o dafod. Os na fedr gwraig droi'r bai yn ôl at ei gŵr, ni ddylai gael magu ei phlentyn ei hun, rhag ei fagu'n ynfytyn!

Orlando Am y ddwyawr nesaf, Rosalind, ni chaf fod gyda-thi.

Rosalind Och! fy nghariad annwyl, ni allaf fod hebot ddwy awr.

Orlando Mae'r Dug yn fy nisgwyl i ginio: ond am ddau o'r gloch byddaf gyda-thi eilwaith.

Rosalind O, wel, ffwrdd chwi! Mi wyddwn sut y byddech. Felly y dwedai fy nghyfeillion wrthyf, ac ni ddisgwyliwn innau ddim llai. Eich tafod gwenieithus a'm hudodd. Merch arall wedi'i bwrw o'r neilltu, ac weithion, brysied marwolaeth. Dau o'r gloch, ddwetsoch-chi?

Orlando Ie, Rosalind fwyn.

Rosalind Wel, ar fy ngwir, o ddifri calon, a Duw'n dyst, a myn pob llw sy'n ddi-berygl, os torrwch-chwi'r iód lleiaf o'ch addewid, neu gyrraedd yma un munud yn hwyr, mi gredaf mai chwi yw'r torrwr adduned mwyaf truenus, y carwr mwyaf gwacsaw a mwyaf annheilwng o'r hon a elwir gennych yn Rosalind, y gellid ei ddewis allan o holl ddirfawr haid yr anffyddloniaid. Felly, gwyliwch rhag fy ngherydd, a chofiwch gadw eich gair.

Orlando Mi wnaf, a chyda'r un faint o ddefosiwn â phe baech chwi fy Rosalind annwyl ei hun. Ffarwél.

Rosalind Cawn weld! Amser ydi'r ynad hynafol sy'n profi pob cyfryw droseddwr; ac felly, caed Amser benderfynu. Yn iach!

(Exit ORLANDO)

Celia 'Wnaethoch-chi ddim ond ein sarhau ni'r merched â'ch baldordd cariadlyd. Fe ddylid rhwygo eich dwbled a'ch clos am eich pen, a dangos y difrod a wnaeth yr aderyn i'w nyth.

Rosalind O! fy nghares fach annwyl, fy nghares fach dlos, na wyddit sawl gwryd o ddyfnder sydd i'm serch! Ni ellir ei blymio. Mae'n serch na wyddys mo'i waelod, fel bae mawr Portiwgal.

Celia Neu'n hytrach, mae'n llwyr ddi-waelod, – a'r cariad yn rhedeg allan gynted y tywelltir ef i mewn!

Rosalind Na; caed direidus fastardd Gwener, o genhedliad crebwyll a beichiogiad drwg-dymer, a aned trwy wallgofrwydd, yr hogyn dall, di-doriad hwnnw sy'n twyllo llygaid pawb, – caed ef benderfynu ddyfned fy serch. 'Rwy'n dywedyd wrthyt, Aliena, mae'n boen i mi fod allan o olwg Orlando. Af i chwilio am gysgod, ac ochneidiaf nes ei ddod.

Celia Ac mi gysgaf innau.

(Exeunt)

GOLYGFA II

Rhan arall o'r Goedwig.

Enter JAQUES, Arglwyddi, a Fforestwyr

Jaques Pwy ydi'r dyn a laddodd y carw?

Arglwydd Fi, syr.

Jaques Wel, ffrindiau, gadewch inni ei gyflwyno i'r Dug fel concwerwr Rhufeinig; a phurion peth fyddai plannu cyrn y carw ar ei gorun yn gainc buddugoliaeth. Tithau, fforestwr, beth am gân at y pwrpas?

Fforestwr O'r gorau, syr.

Jaques Cenwch y gân heb boeni ynghylch bod mewn tiwn. Y gamp yw gwneud digon o sŵn.

MIWSIG: Cân

Fforestwr *(Yn canu):*

"Beth 'rown i hwn am ladd yr hydd?
Y cyrn a'r croen rown iddo'n rhydd.
Rhown gân i'r gŵr, a'n baich a fydd
Y gelain.
Wel, gwisga di dy gorn yn ffri;
Fe wisgid hwn cyn d'eni di:
Ar ben dy dad bu'n tyfu;
Ar ben dy daid cyn hynny:
Y corn, y corn, mae'n hardd mi wn:
Ni ddylai neb ddirmygu hwn.

(Exeunt)

GOLYGFA III
Rhan arall o'r Goedwig.

Enter ROSALIND a CELIA

Rosalind Beth ddwedwch-chi'n awr? Mae'n ddau o'r gloch, onid yw? – a dim sôn am Orlando!

Celia Mae'r llanc, mi wrantaf iti, mewn purdeb serch a phryder bryd, wedi mynd draw – i gysgu. Ond gwêl pwy sy'n dyfod.

(Enter SILVIUS)

Silvius Mae 'nghenadwri atoch chwi, lanc hoff.
Daw'r llythyr yma o law fy annwyl Phebe.
(Mae'n estyn llythyr)
Beth ddywaid hi, nis gwn, ond ofnaf braidd,
Wrth gofio'i chuwch a'i stumiau dreng
Pan oedd hi'n ysgrifennu, mai llith bigog
A llawn digofaint yw. Maddeuwch im:
Negesydd bach diniwed ydwyf fi.

Rosalind Llythyr yw hwn a drethai bob amynedd
A'i wneud yn swagrwr. 'Chlywais-i 'r fath beth!
Nid glandeg monof, meddai; 'rwy'n anghwrtais.
'Rwy'n ffroenfalch hefyd, ac ni'm carai byth,
Ie, petai dynion mor anaml â'r phenigs.
Wel, gwarchod pawb, nid ei serchiadau hi
Yw'r 'sgwarnog 'rwy'n ei hymlid. Beth yw pwynt
Fy nghyfarch i fel hyn? Wel, fugail, wel, –
Ai llythyr ydyw hwn o'th waith dy hun?

Silvius Dim o'r fath beth; ni wn i beth sydd ynddo:
Fy Phebe a'i 'sgrifennodd.

Rosalind Wel, yn wir,
Ffŵl gwirion wyt; fe'th hurtiwyd gan dy serch.
Gwelais ei llaw, a honno'n llaw fel lledr:
Llaw o'r un lliw â phriddfaen. Ac yn wir,
Mi dybiais fod hen fenig am ei dwylo;
Ond dwylo oeddynt, – dwylo morwyn tŷ.
Sut bynnag, gwn nad hi biau'r llythyr hwn:
Dyn a'i dyfeisiodd; nid gwaith geneth yw.

Silvius Na; Phebe a'i 'sgrifennodd.

Rosalind

Ond arddull swnllyd, greulon ydyw hon:
Arddull herfeiddiol; mae'n fy herio'n hy,
Fel Twrc yn herio Cristion. Nid merch fwyn
'Goginiodd y fath gawraidd anfoesgarwch.
Hagr yw gwedd y geiriau, ond hacrach fyth
Eu twyll a'u brad. A gaf eu darllen iti?

Silvius

Atolwg, gwnewch. Mae'r cwbl yn newydd im:
Ond gwn mor greulon y gall Phebe fod.

Rosalind

Mae'n f 'annerch yn Phebïaidd hollol: clyw:
(Yn darllen):

"Wedi rhoi dy dduwdod heibio, –
Yn erbyn Calon merch, milwrio".

'Glywoch-chi'r fath gabledd erioed?

"Nid yw llygad dyn cyffredin
Yn fy nghlwyfo byth mor erwin".

Awgrym mai bwystfil ydwyf!

"Os gall gwawd dy lygaid gloywon
Greu'r fath gariad yn fy nghalon,
Och, pa effaith gaent, gofynnaf,
Pe dechreuent wenu arnaf?
Tra'm ceryddit, carwn innau:
Beth fai effaith dy weddïau?
Ni ŵyr ef sy'n dwyn y llythyr
Am fy nghariad hwn a'i wewyr.
Trwyddo ef, gyr air i mi,
I ddweud a fyddai llanc fel ti
Yn fodlon i groesawu serch
Un o'm bath i, – fugeiliol ferch.
Os amgen, gyr nacâd trwy'r llanc,
A doed i minnau druan, dranc".

Silvius

Ydi hwnna'n llythyr cas?

Celia

Wel, wel, fugail druan.

Rosalind

A ydych yn tosturio wrtho? Nid yw'n haeddu tosturi. 'Fedri-di garu'r fath ddynes? Gwarchod pawb! – gwneud offeryn ohonot! a chanu nodau twyllodrus arnat! Peth anfaddeuol. Wel, dos yn ôl ati, (mae serch mi welaf, wedi dy droi'n neidr ddof) a dywed wrthi: os câr fyfi, fe'i siarsiaf i'th garu di. Os gwrthyd ufuddhau, ni chymeraf moni byth heb i ti dy hun erfyn drosti. Os wyt garwr cywir, ffwrdd ti, a dim gair 'chwaneg: mae rhagor o gwmni'n dod.

(Exit SILVIUS. Enter OLIFER.)

Olifer Gyfeillion, bore dawch: a wyddoch chwi
Am fwthyn bugail yn y fforest hon
Dan gysgod llwyn olew-wydd?

Celia Tua'r gorllewin, yn y pant gerllaw,
Cewch weled rhes o helyg, sy'n ymestyn
Ar hyd soniarus ffrwd, draw ar y chwith,
Sy'n arwain ato: ond ar hyn o bryd
Mae'r drws ynghlo, ac nid oes neb i mewn.

Olifer Os dichon tafod helpu'r llygad, dro,
Fe ddylwn, trwy ddisgrifiad, eich adnabod,
Oherwydd oed a gwisg. "Mae'r llanc yn deg,
O bryd benywaidd, ac yn dirion hoff
O'i chwaer sy'n iau nag ef: mae hithau'n fer,
Ac o dywyllach pryd na'i brawd". Ai chwi
Sy'n byw'n y lle yr holaf yn ei gylch?

Celia Nid ymffrost, os rhaid ateb, dweud mai e.

Olifer Cofion Orlando atoch, felly, eich dau,
A gyrr i'r llanc a eilw ei Rosalind
Y cadach gwaedlyd hwn. Ai chwi yw'r llanc?

Rosalind Ie, myfi; ond beth yw ystyr hyn?

Olifer Rhan o'm cywilydd i. A gaf egluro
Pwy wyf, pa fath – a sut, a pham, a ph'le
Y cafodd hwn ei staenio?

Celia Atolwg, gwnewch.

Olifer Wrth ganu'n iach i chwi tuag un o'r gloch,
Fe roes Orlando'i air y deuai'n ôl
Ymhen yr awr; ond ar ei ffordd drwy'r fforest,
A'i fryd yn llawn dychmygion chwerw a phêr,
Yn sydyn, wele troes ei lygaid draw,
A marciwch beth a welodd yn y coed:–
Dan dderwen hen, fwsoglyd, noeth ei phen
Fe ganfu ddyn truenus, carpiog, blêr,
Yn gorwedd yno 'nghwsg, ac am ei wddf

'Roedd neidr wedi ymglymu'n dorchau gwyrdd,
A'i phen di-baid-fygythiol yn nesáu
At enau'r truan; ond yn sydyn iawn
Wrth weld Orlando'n dod, ymlacio wnaeth
A llithro, igam-ogam, parth â'r llwyn.
Ynghysgod y llwyn hwnnw, ar y pryd,
Cwrcydai llewes hesb, fel awchus gath,
Yn disgwyl am ddeffroad y cysgadur:
(Cans tuedd reiol yr anifail hwnnw
Yw gwrthod pob ysglyfaeth nad yw'n fyw):
Pan ddaeth Orlando i'r fan, a gweld y dyn,
Adnabu ynddo ei frawd, ei unig frawd.

Celia Clywais Orlando un tro yn sôn am hwnnw,
Ac fe'i disgrifiai fel y mwya' annynol
Fu'n rhodio daear.

Olifer Nid heb reswm chwaith:
Cans da y gwn mor annaturiol oedd.

Rosalind Ond, at Orlando: a wadodd ef ei frawd,
A'i ado'n fwyd i'r llewes yn ei gwanc?

Olifer Dwywaith y troes ei gefn, i'r diben hwnnw:
Ond trech tiriondeb na phob dial dwys;
A threch fu greddfau'r gwaed na chyfiawn ddig.
Bu brwydr ffyrnig rhyngtho a'r llewes, ond
Gorchfygwyd hi. Yn sŵn y 'sgarmes honno,
Deffroais innau o'm truenus gwsg.

Celia Ai chwi yw brawd Orlando?

Rosalind Ac fe'ch gwaredodd?

Celia Ai chwi fu gynt yn ceisio lladd Orlando?

Olifer Fi oedd, ond nid fi yw; nid anodd im
Gyfaddef yr hyn oeddwn, gan mor bêr
(A mi'r hyn wyf yn awr), yw cofio blas
Fy nhröedigaeth.

Rosalind Ond, y cadach gwaedlyd?

Olifer Caf sôn am hwnnw toc. Troesom ein dau
I adolygu'n fanwl bawb ei hynt,
A'n dagrau'n lli. Eglurais iddo'r modd
Y deuthum yma, ac fe'm harweiniodd wedyn
Gerbron y Dug caredig, – a rhoes ef
Well dillad im, a chaniatâd i'm brawd
Ofalu amdanaf. Yntau a'm dug i'w ogof,
Ac yno y canfu gyntaf fod ei fraich
Yn gwaedu, lle rhwygasid darn o'i gnawd
Gan balf y llewes. Ar hyn llesmeiriodd, –
Ac wrth lesmeirio, gweiddi am Rosalind.
Llwyddais i'w edfryd, ac i rwymo'i glwyf,
A chyn bo hir, cans cryf o ysbryd oedd,
Archodd i minnau, er mor ddieithr wyf,
Ddod yma i ddweud yr hanes wrthych chwi,
Gan erfyn pardwn am y tor-addewid,
Ac i roi'r cadach gwaedlyd hwn i'r llanc
A eilw efô'n chwareus ei Rosalind.

(Syrth ROSALIND mewn llesmair)

Celia Ond Ganimêd, Ganimêd annwyl beth sy'n bod?

Olifer Bydd llawer yn llesmeirio wrth ganfod gwaed.

Celia Mae mwy'n y peth na hynny. O! Ganimêd!

Olifer Ond, gwelwch, mae'n dadebru.

Rosalind O! na bawn gartref.

Celia Awn â thi adre'n awr. A fedrech chwithau afael yn ei fraich?

Olifer Codwch eich calon, ŵr ieuanc. Chwychwi'n ddyn, a heb galon dyn o'ch mewn!

Rosalind Ie, 'rwy'n cyfadde'. Ha, syre, dyna ichi ffugio campus! Cofiwch ddweud wrth eich brawd mor dda y ffugiais. Hei-ho!

Olifer Nid actio oedd hyn. Mae'n hawdd gweld ar liw eich gwedd fod y cwbl o ddifrif.

Rosalind Actio, coeliwch fi.

Olifer Wel, ynteu, codwch eich calon, a ffugiwch fod yn ddyn.

Rosalind 'Rwyf yn gwneuthur hynny: ond yn wir, yn ferch y dylswn fod wedi'r cyfan.

Celia Dowch; 'rydych yn gwelwi'n waeth fyth. Dowch, atolwg, tuag adref. Chwithau, syr dowch gyda-ni.

Olifer Mi ddof: rhaid imi gludo gair i'm brawd
Eich bod yn maddau iddo, Rosalind.

Rosalind Mi ddyfeisiaf atebiad: ond atolwg, dwedwch wrtho mor dda y ffugiais. 'Ddowch-chi'n awr?

(Exeunt)

ACT V

GOLYGFA I

Fforest Arden.

Enter TOUCHSTONE ac AUDREY

Touchstone 'Rydym yn siŵr o gael cyfle, Audrey; amynedd Audrey bach!

Audrey Cato pawb, 'roedd yr offeiriad yn ddigon atebol, er gwaetha' sylwadau'r dyn diarth.

Touchstone Annuwiol tu hwnt yw Syr Olifer, Audrey; ffiaidd tu hwnt yw Martext. Ond, Audrey, mae 'na lanc yn y fforest sy'n dweud bod ganddo hawl arnat-ti.

Audrey O! mi wn-i pwy ydi-o: 'does a wnelo-fo ddim byd â fi. A dyma'r dyn dan sylw yn dwad.

(Enter WILIAM)

Touchstone Mae cwrddyd â chlown yn fwyd ac yn ddiod i mi. Myn f 'enaid i, mawr yw cyfrifoldeb gwŷr ffraeth fel nyni. Mae'n rhaid inni gellwair; 'd allwn-ni lai.

Wiliam Noswaith dda, Audrey.

Audrey O! noswaith dda, Wiliam.

Wiliam A noswaith dda i chitha', syr.

Touchstone Noswaith dda, gyfaill gwiw. Paid â thynnu dy het; gad hi ar dy ben. Beth yw d'oedran, gyfaill?

Wiliam Pump ar hugain, syr.

Touchstone Oedran aeddfed. Ai Wiliam yw d'enw?

Wiliam Wiliam, syr.

Touchstone Enw tlws, Fe'th aned yn y fforest, mae'n debyg?

Wiliam Do, syr, diolch i Dduw.

Touchstone 'Diolch i Dduw': ateb da: 'Wyt-ti'n gefnog?

Wiliam Wel, syr, symol.

Touchstone Mae symol yn dda, yn dda iawn, yn rhagorol dda: ac eto, nag-'di, – 'tydi-o ddim ond symol wedi'r cwbl. 'Wyt-ti'n ddoeth?

Wiliam Ydw', syr, yn eitha' doeth.

Touchstone Wel, fe atebaist yn dda: ond daw hen ddywediad i'm cof: 'Mae'r ffŵl yn tybio'i fod o-'i hun yn ddoeth, a'r doeth yn gwybod ei fod o-'i hun yn ffŵl'. Pan chwenychai'r hen athronydd paganaidd fwyta grawnwin, byddai'n agor ei geg i ddechrau, i ddangos bod grawnwin wedi'u bwriadu i'w bwyta, a cheg i'w hagor. 'Wyt-ti'n ffansïo'r ferch ifanc-ma?

Wiliam Ydw', syr.

Touchstone Rho dy law imi. 'Wyt-ti'n ddysgedig?

Wiliam Nag-'dw', syr.

Touchstone Wel, cymer hyn o ddysg gennyf fi. Meddiant yw meddiant. Mae'n ffigur mewn rhetoreg fod diod, pan dywallter-ef o gwpan bridd i gwpan wydr, wrth lenwi'r naill yn gwagio'r llall. Mae'r awduron oll yn cyd-weld mai *ipse* ydyw efô; ac yn awr, nid *ipse* wyt ti, canys myfi yw efô.

Wiliam Pa 'fo syr?

Touchstone Efô, syr, sydd i briodi'r ddynes hon: ac felly, O glown, anfynycha, – neu, mewn iaith werinol, rho heibio gymdeithas, – neu, mewn iaith lafar, gwmpeini, y fenyw hon, – neu, mewn iaith gyffredin, y ddynes hon: neu, a rhoi'r cwbl ynghyd, – anfynycha gymdeithas y fenyw hon, onid e, glown, cei drengi; neu'n nes at dy well dealltwriaeth, cei farw, neu, mewn gair, fe'th laddaf, fe drof dy fywyd yn farwolaeth a'th ryddid yn gaethiwed: fe ddeliaf â thi trwy wenwyn, neu â phastwn, neu â dur: ymdaeraf â thi mewn cweryl, goddiweddaf di trwy gyfrwystra, fe'th laddaf mewn cant a hanner o ffyrdd; ac felly, ymogel – a dos!

Audrey Dos, Wiliam bach.

Wiliam Wel, rhad arnoch-chi, syr.

(Exit)

Enter CORIN

Corin Mae'n meistr a'n meistres yn chwilio amdanoch-chi: dowch!

Touchstone Tyrd, Audrey; tyrd, Audrey. 'Rwy'n dod!

(Exeunt)

GOLYGFA II

Rhan arall o'r fforest

Enter ORLANDO ac OLIFER

Orlando Ai posibl, tybed, ar cyn lleied o gyfathrach, eich bod yn hoff ohoni? eich bod, oherwydd ei gweld, yn ei charu? ac o'i charu yn ei chanlyn? ac o ganlyn, ei bod hithau'n cytuno? Ac a yw'r garwriaeth yn debyg o barhau?

Olifer Peidiwch â phoeni ynghylch sydynrwydd y peth, na'i thlodi hi, na'r prinder adnabod, fy serch disymwth i, na'i chydsynio parod hithau: ond credwch fi, fy mod yn caru Aliena, a chredwch hi, y câr fyfinnau. Byddwch fodlon inni'n dau ymuno â'n gilydd. Bydd hynny'n fantais i chwi, canys parthed tŷ fy nhad, a'r holl waddol fu'n eiddo Syr Roland, bwriadaf eu trosglwyddo i chwi, a byw a marw yn fugail yn y lle hwn.

Orlando 'Rwy'n rhoddi fy nghaniatâd. Boed dydd eich priodas yfory. Mi wahoddaf y Dug a'i holl ddilynwyr rhadlon. Ewch, hysbyswch Aliena: canys wele, mae fy Rosalind wedi dod.

(Enter ROSALIND)

Rosalind Bendith arnoch, fy mrawd.

Olifer Ac arnoch chwithau, fy nghyfaill.

(Exit OLIFER)

Rosalind O! fy Orlando annwyl, mae'n ofid dy weld a'th galon mewn scarff.

Orlando Fy mraich ydyw.

Rosalind Tybiais ddarfod clwyfo dy galon dan grafanc llewes.

Orlando Clwyfwyd fy nghalon, mae'n wir, ond gan lygaid merch ifanc.

Rosalind A ddwedodd eich brawd fel y ffugiais lesmeirio pan welais y cadach?

Orlando Do, a phethau rhyfeddach na hynny.

Rosalind O, mi wn at beth y cyfeiriwch: ac mae'n hollol wir, 'Fu dim byd erioed mor ddisymwth, ac eithrio gwrthdrawiad dau hwrdd, a brag thrasonig Iwl Cesar – "Deuthum, canfûm, gorfûm", canys y foment y cyfarfu eich brawd â'm chwaer, edrychasant; a phan edrychasant, dyna garu; ac wedi'r caru, ochneidio; ac wedi'r ochneidio, ymholi paham; ac wedi deall paham, ceisio'r feddyginiaeth: a chyda'r graddau a nodais, gwneud grisiau dwbl at briodas, i'w dringo'n ddi-amynedd. Maent ynghanol gwylltineb serch, ac ynghyd y mynnant gael bod: ni all pastwn eu gwahanu.

Orlando Cânt briodi yfory, ac 'rwy'n gwahodd y Dug i'r neithior. Ond O! mor chwerw fydd syllu ar lawenydd trwy lygaid dyn arall. Bydd fy nhristwch di-obaith yfory yn fwy na dedwyddwch fy mrawd pan gaffo'i ddymuniad.

Rosalind Ac felly, yfory, 'fyddaf innau'n werth dim yn lle Rosalind?

Orlando Ni allaf fyw ddim rhagor ar ddychmygion.

Rosalind O'r gorau, ni'ch blinaf yn hwy â gwag eiriau. Ac felly, gwrandewch: 'rwy'n awr yn siarad o ddifrif. Fe'ch ystyriaf yn ŵr ifanc craff; ac nid fy amcan yw gwneud ichwi synio'n uchel am fy ngwybodaeth, ond creu ynoch gred a'm galluoga i weithredu er eich lles. Credwch, gan hynny, os gwelwch yn dda, y gallaf wneud pethau rhyfedd. Ers pan oeddwn yn dair oed, bûm gydnabyddus â dewin, gŵr eithriadol fedrus yn ei gelfyddyd, ac eto'n parchu'r gyfraith. Os cerwch Rosalind mor ddwys ag y mae'ch agwedd yn awgrymu, yna, pan briodo eich brawd Aliena, cewch chwithau briodi eich anwylyd. Gwn am gyfyngder ei hamgylchiadau, ac nid amhosibl imi – os tybiwch hynny'n gyfleus – ei gosod ger eich bron yfory, yn union fel y mae, heb berygl o fath yn y byd.

Orlando 'Wyt-ti'n siarad o ddifri' calon?

Rosalind Ydwyf, myn f'einioes; ac 'rwy'n caru f'einioes – er gwaethaf bod yn ddewin. Felly, cais dy wisg orau, a gwahodd dy gyfeillion. Os mynni fod yn briod yfory, fe gei, ac â Rosalind, os dymuni. Ond ust! dyma'r ferch a'm câr i, a'r llanc a'i câr hithau!

(Enter SILVIUS a PHEBE)

Phebe Ŵr ieuanc, fe wnaethost dro gwael â mi ynglŷn â'r llythyr hwnnw.

Rosalind Os do, ni'm dawr:
'Roedd gwneuthur ansyberwyd a sarhad
Yn fwriad gennyf. Dyma fugail ffyddlon
A'th gâr yn fwy na neb. Cofleidia'r llanc:
Bydd dirion wrtho: mae'n d'addoli di.

Phebe Fugail, eglura iddo beth yw serch.

Silvius Os ocheneidio a cholli dagrau yw,
Felly 'rwyf fi am Phebe.

Phebe A mi am Ganimêd.

Orlando A mi am Rosalind.

Rosalind Minnau am neb rhyw ferch.

Silvius Arddangos ffydd a phob gwasanaeth yw;
Ac felly fi am Phebe.

Phebe A mi am Ganimêd.

Orlando A mi am Rosalind.

Rosalind Minnau am neb rhyw ferch.

Silvius Mae'n gyflwr llawn o bob rhyw ffántasi,
O bob dymuniad, a phob angerdd dwys,
Pob gwylder, pob amynedd, a phob brys,
Pob ofn, a phryder, a defosiwn:
Ac felly fi am Phebe.

Phebe A mi am Ganimêd.

Orlando A mi am Rosalind.

Rosalind Minnau am neb rhyw ferch.

Phebe *(wrth ROSALIND)* Os dyna'r gwir, paham na chaf dy garu?

Silvius *(wrth PHEBE)* Os dyna'r gwir paham na chaf dy garu?

Orlando Os dyna'r gwir, paham na chaf dy garu?

Rosalind *(wrth ORLANDO)* Wrth bwy y dwedwch, 'Pam na chaf dy garu?'

Orlando Wrth un nad yw'n bresennol ac na chlyw.

Rosalind Dim 'chwaneg o hyn, atolwg: mae'n swnio fel bleiddiaid Iwerddon yn udo rhag y lloer. *(Wrth SILVIUS)* Rhof help i chwi, os gallaf. *(Wrth PHEBE)* Fe'ch carwn chwi, pe medrwn. Dowch yma i gyd yfory. *(Wrth PHEBE)* Fe'ch priodaf chwi, os priodaf unrhyw lances, a gwn y'm priodir yfory. *(Wrth ORLANDO)* Fe'ch bodlonaf chwi, os bodlonais ddyn erioed, a gwn eich priodir yfory. *(Wrth SILVIUS)* Fe'ch bodlonaf chwithau, os yw'r hyn a'ch plesia'n eich boddio; ac fe'ch priodir chwithau yfory. *(Wrth ORLANDO)* O cherwch Rosalind, dowch. *(WRTH SILVIUS)* O cherwch Phebe, dowch: a chan na charaf unrhyw ferch, mi ddof innau. Ac felly, ffarwél. 'Rwyf wedi gorchymyn i bawb.

Silvius 'Rwy'n sicr o ddod, os caf fyw.

Phebe Minnau'r un modd.

Orlando A minnau.

(Exeunt)

GOLYGFA III

Yn y Fforest.

Enter TOUCHSTONE ac AUDREY

Touchstone Mae'r dedwydd ddydd yfory, Audrey: yfory fe'n priodir ni'n dau.

Audrey 'Rwy'n dyheu am yfory â'm holl galon, a gobeithio nad oes dim yn anweddus mewn dyheu am fod yn wraig briod. Dyma ddau o weision y Dug yn dŵad.

(Enter dau facwy)

Macwy I Henffych well, gu foneddwr.

Touchstone Ie'n wir, henffych well. Dowch 'steddwch: cenwch gân.

Macwy II Debyg iawn, debyg iawn. 'Steddwch chwithau'n y canol.

Macwy I Awn ati, ar un waith, heb na phoeri, na checru, na chrygu, – unig brolog llais drwg.

Macwy II Siŵr iawn, siŵr iawn; a chadw mewn tiwn; fel dau sipsi ar un ceffyl.

CÂN

'Roedd mab a merch yn rhodio 'nghyd
Gyda hei, gyda ho, gyda hei-noni-no,
Trwy ganol maes o dyner ŷd
Y Gwanwyn: 'roedd adar mân y gwanwyn
Yn llon eu cân, hei ding-a-ding, ding,
Dan wenau'r Gwanwyn glân.

Wrth groesi golud glas y glyn,
Gyda hei, &c.,
Canmolai'r ddeuddyn hapus hyn
Y Gwanwyn: 'roedd adar mân y gwanwyn &c.,

Rhyw garol ddwys a ganai'r ddau,
Gyda hei, &c.,
Fod dyddiau dyn fel blodyn brau
Y gwanwyn: 'roedd adar mân y gwanwyn &c.,

Ac felly, gwylied mab a merch,
Gyda hei, &c.,
Rhag colli tirion swynion serch
Y gwanwyn: mae adar mân y gwanwyn &c.,

Touchstone Yn wir, hogia' bach, 'doedd yna fawr o sylwedd yn y gân, ond gall'sech fod wedi cadw gwell amser.

Macwy I 'Rydych yn methu, syr. Cadwasom yr amser. Ni choll'som ddim ohono.

Touchstone Do, myn f 'enaid-i. Coll amser, i'm tyb i, oedd gwrando ar gân mor ynfyd. Wel, da boch-chi, a gwellhad buan i'ch lleisiau. Tyrd, Audrey.

Exeunt)

GOLGYFA IV

Rhan arall o'r Fforest.

(Enter Y DUG, AMIENS, JAQUES, ORLANDO, OLIFER a CELIA)

Y Dug A wyt ti'n credu, Orlando, fod y llanc
Yn abl i gadw ei addewidion oll?

Orlando 'Rwyf weithiau'n credu, syr, ac weithiau ddim:
Bwhwman, fel petai, rhwng ffydd ac ofn.

(Enter ROSALIND, SILVIUS a PHEBE)

Rosalind Gosteg, drachefn, tra rhoir y ddeddf i lawr:
Addawsoch chwi, pe gwelech Rosalind,
Ei rhoddi'n briod i'r Orlando hwn.

Y Dug Gwir hynny: ac fe'i rhoddwn hyd yn oed
Pe meddwn deyrnas i'w rhoi gyda hi.

Rosalind Ac 'rydych chwithau wedi addo'i chymryd
Pan ddof â hi ger bron?

Orlando Cymerwn hi,
Hyd yn oed pe meddwn holl deyrnasoedd byd.

Rosalind 'Rych chwithau'n fodlon, ferch, i'm cymryd i
Yn briod, os cytunaf?

Phebe Gwir, hyd yn oed pe trengwn cyn pen awr.

Rosalind A phe digwyddai, ferch, na fynnech fi,
Aech chwithau'n wraig i'r bugail fyddlon hwn?

Phebe Ie, dyna'r fargen.

Rosalind Fe briodech chwithau Phebe, pe'ch cymerai?

Silvius Gwnawn, hyd yn oed pe trengwn yr un dydd.

Rosalind 'Rwyf innau'n addo dwyn pob peth i ben.
Ddug, cofiwch gadw eich gair i roddi eich merch:
A chadw dithau d'air Orlando, i'w derbyn.
Cedwch y fargen, Phebe, i'm priodi i,
Neu, pe'm gwrthodech, i briodi Silvius.

A thithau, fugail, cofia'i phriodi hi
Os myn fy ngwrthod innau. Ac yn awr,
Af allan dro, cyn gwastatáu pob peth.

(Exeunt ROSALIND a CELIA)

Y Dug Mae'r bugail ifanc hwn yn dwyn i'm cof
Rai o nodweddion Rosalind, fy merch.

Orlando Fe dybiais innau, f 'arglwydd, y tro cyntaf
Y gwelais ef, ei fod yn frawd i'ch merch:
Ond eto, f 'arglwydd, gwn mai brodor yw
O'r fangre hon, ac fe'i haddysgwyd gynt
Mewn llawer gwyddor fentrus, gan ei ewythr,
Dewin galluog, sydd, – medd ef i mi, –
Yn trigo ynghêl o fewn y fforest hon.

(Enter TOUCHSTONE ac AUDREY)

Jaques Mae'n rhaid bod dilyw arall ger llaw, pan yw'r holl gyplau hyn yn cyrchu'r arch. Dyma ichwi bâr o greaduriaid rhyfedd dros ben: fe'u gelwir, ym mhob iaith, yn ffyliaid.

Touchstone Hwyl a bendith i bawb oll.

Jaques Atolwg, f 'arglwydd, estynnwch groeso iddo. Dyma'r gŵr bonheddig ffraeth-fympwyol y deuthum ar ei draws mor fynych yn y fforest. 'Roedd unwaith, medd ef, yn ŵr llys.

Touchstone Od oes neb yn amau hynny, dyged fi i'm profedigaeth. Mi wn beth yw dawnsio mesur, gwenieithio i rianedd, siomi cyfeillion, a phlesio gelynion. 'Rwyf wedi andwyo tri o deilwriaid, wedi cychwyn pedair ymrafael, a bu agos i un o'r pedair droi'n ysgarmes.

Jaques A sut y daeth honno i ben?

Touchstone Wel, bu cyfarfod rhyngom, a chaed bod y cweryl yn y seithfed gradd.

Jaques Yn y seithfed gradd? Sut hynny? Dylai'r brawd hwn fod wrth eich bodd chwi, f 'arglwydd da.

Y Dug Ac felly y mae.

Touchstone	Bendith arnoch, syr: boed i'ch bodd barhau. Ymwthiais yma, syr, gyda'r rhelyw o'r brodorion â'u bryd ar briodi, i dyngu a gwrth-dyngu, gan fod priodas yn rhwymo a gwaed yn twymo. Llances dlawd, digon bethma'i gwedd, ond fi piau-hi, syr: rhyw fympwy diniwed o'r eiddof, syr, yn dewis merch nas mynnai neb arall. Mae onestrwydd cyfoethog, syr, fel cybydd, yn trigo mewn tŷ tlawd, 'run fath â'r perl mewn gwystrysen fudr.
Y Dug	Myn f 'enaid, mae'n hynod ffraeth a synhwyrgall.
Touchstone	Fel saeth yr ynfyd, syr, a phêr-glefydon o'r fath.
Jaques	Ond parthed y seithfed gradd-'ma; pam 'roedd y cweryl yn y seithfed gradd?
Touchstone	Ar gelwydd a symudwyd seithwaith, – Dal dy gorff yn fwy gweddus, Audrey! – fel hyn, syr. Nid oeddwn yn hoffi toriad barf rhyw ŵr llys. Gyrrodd air yn ôl, os tybiwn i nad oedd toriad ei farf yn iawn, 'roedd yntau o'r farn ei fod. Dyna'r Atebiad Cwrtais, fel y'i gelwir. Os gyrrwn air drachefn, nas torrwyd yn iawn, dôi'r ateb yn ôl, iddo'i dorri i'w blesio'i hun. Dyna'r Cwip Gwylaidd, ys dywedir. Os haerwn drachefn nas torrwyd yn iawn, fe wawdiai yntau fy marn; a dyna'r Honiad Haerllug. Os eto, nas torrwyd yn iawn, fe daerai na ddwedais y gwir: a dyna'r Cyhuddiad Pybyr. Os eto, nas torrwyd yn iawn, fe'm galwai yntau'n gelwyddog: a dyna'r Gwrthdro Cwerylgar. Ac felly ymlaen at y Celwydd Amgylchus a'r Celwydd Cignoeth.
Jaques	A sawl gwaith y dwetsoch na thorrwyd mo'i farf yn iawn?
Touchstone	Ni feiddiwn fynd ymhellach na'r Celwydd Amgylchus, ac ni feiddiodd yntau roi'r Celwydd Cignoeth i mi: ac felly, wedi dim ond mesur cleddyfau, ymadawsom.
Jaques	'Fedrwch-chi enwi'r graddau o gelwydd yn y drefn briodol yn awr?
Touchstone	O! syr, cweryla mewn print y byddwn, gan ddilyn y llyfr: tebyg i'ch llyfrau sy'n dysgu moesau da. Ond dyma'r graddau dan sylw: Yn gyntaf, yr Ateb Cwrtais; yn ail, y Cwip Gwylaidd; yn drydydd, yr Honiad Haerllug; yn bedwerydd, Y Cyhuddiad Pybyr; yn bumed, y Gwrthdro Cwerylgar; yn chweched, y Celwydd Amgylchus; yn seithfed, y Celwydd Cignoeth. Gellir osgoi'r rhain i gyd, ac eithrio'r Celwydd Cignoeth; a gellir osgoi hwnnw hefyd gydag 'os'. 'Rwy'n cofio am saith ynad yn methu â

chynnal cweryl; ond pan gyfarfu'r cwbl ynghyd, – meddyliodd un ohonynt am 'os', – yn debyg i hyn, – "Os dyna ddwetsoch chi, dyna ddwedais innau"; ac wedyn ysgwyd llaw a thyngu brawdgarwch. Tangnefeddwr dihafal yw'r 'os'. Mae rhinwedd mawr mewn 'os'.

Jaques Un da ydyw hwn, f 'arglwydd, onid e? Mae'n wych ymhopeth, ac eto'n ffŵl.

Y Dug Mae'n defnyddio'i ffolineb fel "march hela" ffug, ac yn gollwng ei saethau ffraeth tan ei gysgod.

(Enter HEIMEN, ROSALIND a CELIA)

Miwsig Tyner

Heimen

Mae'r Nef i gyd yn llon
Wrth weld y ddaear hon
Dan swyn cynghanedd.
Derbyn dy ferch, O Ddug, –
Heimen o'r Nef a'i dug
Yn ôl o'r diwedd.
Er mwyn i ti ei rhoddi'n awr
Yn wraig i'r llanc a'i câr mor fawr.

Rosalind *(Wrth y Dug)* I chwi y rhof fy hun, cans eiddoch wyf.
(Wrth Orlando) I ti y rhof fy hun, cans eiddot wyf.

Y Dug A bod fy llygaid hyn yn dweud y gwir,
Chwi yw fy merch.

Orlando A bod fy llygaid hyn yn dweud y gwir,
Chwi yw fy Rosalind.

Phebe Os gwir a welaf innau, ferch, –
Beth wnaf ond dweud, – ni thâl fy serch.

Rosalind *(Wrth Y DUG)* Ni fynnaf dad, os nad chwychwi yw ef.
(Wrth ORLANDO) Ni fynnaf ŵr os nad tydi fydd ef.
(Wrth PHEBE) Ni phriodaf ferch, os na phriodaf di.

Heimen

Gosteg! gwaharddaf groesau!
Rhaid dwyn y digwyddiadau
Rhyfeddol hyn i ben.
Rhaid clymu wythnyn tirion
Yn rhwymau Heimen weithion,
Rhag bod y gwir dan len.

(Wrth ROSALIND ac ORLANDO)
Chwi, ni ddaw byth gwmwl rhyngoch:
(Wrth CELIA ac OLIFER)
Chwi un ydych: dedwydd fyddoch.
(Wrth PHEBE)
Eiddoch chwi'r llanc hwn a'i serch,
Neu gytuno i briodi merch.
(Wrth TOUCHSTONE ac AUDREY)
Clymir di a hithau'n awr,
Fel y gaea' a'r tywydd mawr.

* * *

A ni'n canu'r gân briodas,
Chwithau gewch ymholi'n addas
Sut y daethom i'r fan hon –
I gwpláu pob peth mor llon.

CÂN

Bendith ar briodas fad,
Cans sylfaen gref yr aelwyd yw.
Os Heimen sy'n poblogi'r wlad,
Wel, parcher pob priodas wiw.
Moeswch anrhydedd, heb nacâd,
I Heimen hoff mewn tref a gwlad.

* * *

Y Dug *(Wrth CELIA)*
O, f'annwyl nith, fy nghroeso mawr a'm serch;
Ie, cymaint croeso ag i'm hannwyl ferch.

Phebe *(Wrth SILVIUS)*
A thithau'n eiddof, 'rwy'n dy garu di;
A'th garu wnaf; buost ffyddlon iawn i mi.

(Enter JAQUES DE BOIS)

Jaques de Bois Rhowch gennad im ddywedyd gair neu ddau:
Myfi yw mab ieuenga'r hen Syr Roland,
A dygaf gyda mi'r newyddion hyn:–
Oherwydd clywed bod uchelwyr da,
Ddydd ar ôl dydd, yn cyrchu'r fforest hon,
Darparodd y Dug Ffredrig fyddin gref
I 'mosod ar ei frawd, a'i ddal, a'i ladd;
Ac fe'i harweiniodd felly hyd at gwrr

Y goedwig wyllt: ond yno fe gyfarfu
Â rhyw hen feudwy duwiol, gyda'r hwn
Y bu'n ymddiddan dro; ac fe'i llwyr dröwyd
Oddi wrth ei fwriad ac o ffyrdd y byd;
A phenderfynodd edfryd yr holl ddugiaeth
Yn ôl i'w frawd, ac edfryd yr un modd
Holl diroedd y gwŷr eraill sydd yn awr
Yn alltud gydag ef. Os celwydd hyn,
Na chaffwyf mwyach fyw.

Y Dug Croeso, ŵr ieuanc:
Fe ddygaist gampus gêd i'th frodyr hyn,
Ddydd eu priodas: etifeddiaeth goll
Yn ôl i'r naill, a Dugiaeth gref i'r llall.
Wel, yn y fforest hon, yn gyntaf dim,
Cwpláwn bob gwaith o'r eiddom a ddechreuwyd
Mor ddedwydd eisoes; ac wedyn, caffed pawb
'Ddioddefodd ddyddiau a nosweithiau cas
Fan yma gyda mi, fod yn gyfrannog
O'n ffyniant adferedig, yn ôl gradd
Eu safle gynt. Ond yn y llon gyfamser,
Gan lwyr anghofio'r newydd urddas hwn,
Ymrowch i firi braf ein gwledig Ŵyl.
Dowch, moeswch fiwsig: chwithau ddeuoedd llon,
Dawnsiwch yn hoyw-brysur ger ein bron.

Jaques Un eiliad syr: a fynnodd y Dug Ffredrig
Ymwadu a chanu'n iach i rwysg y llys,
Er mwyn ymroi i grefydd?

Jaques de Bois Mae hynny'n wir

Jaques Af innau ato. Mae cryn sylwedd dwys
I'w gael o enau'r troëdigion hyn.
(Wrth Y DUG)
Syr, i'ch cyn-fawredd y cyflwynaf chwi:
Mae'ch rhinwedd a'ch amynedd yn ei haeddu.
(Wrth ORLANDO)
Chwychwi i'r serch a haeddwyd gan eich ffydd.
(Wrth OLIFER)
Chwithau i'ch stad a'ch serch a'ch ffrindiau oll.
(Wrth SILVIUS)
Chwychwi i'r gwely a ddisgwyliasoch cŷd.
(Wrth TOUCHSTONE)

Tithau i'th ffraeo, cans prin y deil, mi wn,
Dy fordaith serch ddau fis.

At eich pleserau!

I mi boed rhywbeth amgen na dawnsïau.

Y Dug Arhoswch Jaques.

Jaques Nid gwag bleserau i mi. A chyda llaw,
Fy llety heno fydd yr ogof draw.

(Exit)

Y Dug Weithion, ymlaen: dechreuwn gadw gŵyl,
A dwyn pob peth i ben mewn hyfryd hwyl.

(Dawns)

EPILOG

Rosalind Peth croes i'r ffasiwn yw gweld y Wraig yn Epilog, ond nid llai gwych, bid siŵr, na gweld y Gŵr yn Brolog. Os gwir nad rhaid i win da wrth hysbyseb, gwir hefyd nad rhaid i ddrama dda gael Epilog. Eto i gyd, fel rheol, mae gwin da'n **cael** hysbyseb dda; ac mae'n lles i ddrama dda gael Epilog da. Felly, druan ohonof fi, onid e? Nid wyf yn Epilog da, ac ni fedraf chwaith ymhŵedd â chwi o blaid drama dda. Nid dillad beger sydd gennyf, ac felly ni thâl imi fegio. Y cwbwl a wnaf fydd eich siarsio, gan ddechrau gyda'r merched. Fe'ch siarsiaf chwi, O rianedd, ar sail eich cariad at ddynion, i hoffi pob mymryn o'r ddrama sy'n eich plesio; a siarsiaf chwithau, O ddynion, ar sail eich serch at rianedd, (a gwn oddi wrth eich gwenau nad oes neb ohonoch yn eu casáu,) fod i'r ddrama, rhyngoch chwi a'r rhianedd, blesio pawb. A phetawn ferch, fe gusanwn bob un ohonoch sy'n meddu ar farf a'm boddia, wynepryd a'm plesia, ac anadl y gallwn ei goddef. Ac wedi'r fath gynnig caredig, mi wn y bydd pawb ohonoch sy'n berchen barf ddestlus, wyneb glân, ac anadl bêr, yn eithaf parod, pan foes-ymgrymaf, i ddwedyd, "Ffarwél", ac "Yn iach".